足立照嘉

サイバー犯罪入門

ネーも乗っ取られる衝撃の現実

GS
幻冬舎新書
459

はじめに
狙われたら、安心・安全が一気に崩れる！

いったい今、ＩＴと現実とが複雑に絡み合ったこの世界で、何が起こっているのだろうか？

まさに、本書の最終チェックをしていた２０１７年6月27日、世界を震わす大規模なサイバー攻撃のニュースが入ってきた。ウクライナを中心に、ロシア、欧州、さらに米国へと被害が拡がったが、5月にも〝史上最大規模〟といわれるサイバー攻撃が発生したばかり。この2回の経済損失をあわせると（現時点で）80億ドルにのぼるといわれている。

ウクライナでは、（セキュリティレベルが高いはずの）政府や金融機関のコンピュータネットワークまでもが一部ダウンしたほか、チェルノブイリ原発周辺の放射線自動監視システムにも影響があり、一部を手動に切り替えたと報じていて、恐怖に震えた。

このような事件が、再び、明日起きてもおかしくない。

さらに、**そのターゲットが日本になっても、何らおかしくない**。

現代の地球上で暮らす我々の日常は、こうした危険に晒（さら）されているのだ。

いきなり不穏な話になったので、私が何者であるかを、まず話さねばなるまい。

筆者は、1980年代半ばからプログラミングを学び始め、2000年代初頭より国内外のサイバーセキュリティ関連企業への投資や経営に参画してきた。さらに、30カ国以上の市場において、金融機関や通信会社をはじめ、政府や研究機関に至るまで、様々な企業・組織のサイバーセキュリティに関連する仕事をしてきている。こうした経験を通して断言できることは、サイバー犯罪への意識を高めるには、サイバー空間だけでなく、リアル社会との相互関係も見なければならないし、「日本は島国だから大丈夫」という根拠のない安心感は、まったくの見当はずれ。常に、グローバルに幅広く見極めようとする視点が必要だ。

あえてここで「グローバル」と言ったのは、**日本人は世界的に見て、サイバー空間に対する感覚・意識が異様に低い**と感じるからだ。今まさにたいへんな危機が起きているのに、グローバルの視点がないせいで、それが「見えていない」のかもしれない。

みなさんが気付いているかどうか分からないが、私たちの生活において、サイバー犯罪の被害に遭うことも、サイバー犯罪を犯すことも、あまりに身近で当たり前のことになってしまっている。

そこで本書では、「サイバー空間」と「現実世界での出来事」の間で、今何が起こっているのかについて、さらに今後どうなるのかについて、私の見てきたこと、経験してきたことをもとに、述べていきたいと思う。

その結果、この本はサイバー犯罪から身を守るための入門書となるかもしれないし、場合によっては、サイバー犯罪そのものの入門書にもなってしまうかもしれない。

いずれにせよ、今、我々が強く認識しておかねばならないことは、「残念なことに、〝**守る側が圧倒的に難しく、不利な状況**〟**である**」ということだ。

この本は、ＩＴの専門書ではない。書かれていることが、明日には陳腐化してしまうことを極力避けるため、Windowsならこうしましょう、Macならこうしましょうといった、実践的なテクニックについては即時性の高いパソコン雑誌やインターネットでの情報に譲ることとする。それよりも、ITというテクノロジーと付き合っていくために知っておいてもらいたいこと、その際のリスクをコントロールする方法などを伝えていきたい。

まず、あなたの中に〝サイバー犯罪に対する意識〟が芽生えることを願う。そこを軸として、インターネットに関する一般教養となれば幸いだ。

「よく分からないから」と見ることをやめてしまったら、自分たちの安全も安心も、瞬く間に崩れ去る。そもそも、**現代において安全や安心が妄想にすぎない**ことは、本書を読んでもらえれば分かる。**国家も金融もインフラも、有能なハッカーの前では「安全」とは言えない**。あなたの想像を超えたことが世界各地で起きているのである。異国では、貧困層や若者たちが生きていくために命を賭して技術を身に付け、犯罪組織やテロリスト集団は優秀なハッカーの育成に必死だ。彼らにとって「国境」はないに等しい。世界中がターゲットであり、日本のような豊かな国は、あまりに〝おいしい〟。冒頭で、大規模サイバー攻撃について触れたが、「預金口座から少しずつ抜かれている」なんてことも日常的に起きている。1件あたりの額はわずかだとしても、一度に多くのターゲットを狙えば何億にもなるわけだ。

こうして、**我々の知らないところで〝世界最高峰の見えない頭脳集団〟がいくつも生まれ、彼らがこの世界を回し始めている**のである。

なお、我々の業界では、その能力や知識を活かして、悪事に手を染める者を「ブラックハッカー」と呼び、ブラックハッカーに立ち向かう正義のハッカーを「ホワイトハッカー」と呼ぶが、本書では、一般的に用いられているのと同様に、ブラックハッカーの総称として「ハッカー」と呼び、「ホワイトハッカー」はあえて「ホワイトハッカー」と呼ぶことにする。

ちなみに、本文（148ページ）でも触れるが、**現代のハッカーに必要なのは、技術力よりマーケティング力である。**驚くべきことではないだろうか。時代は変わり、**サイバー犯罪はビジネスになったのだ。**その変化と脅威に、一日も早く気付いてくれることを願う。

サイバー犯罪入門／目次

第2章 サイバー犯罪の実態と背景 33

第4章 ハッカーの視点、ハッカーの心理 131

第1章 おいしすぎるハッキング・ビジネス

インターネットも自動車も、「これまでにない世界」へ連れて行ってくれる夢の乗り物

「テクノロジーとは何か？」と問われたら、どう答えるだろうか？

私だったら、次の二つを答える。

①身体機能を拡張するもの
②物理的な制約を0に近付けるもの

いきなり難しいことを言っていると思われたかもしれないが、つまりこういうことだ。

例えば、パソコンを活用すれば、膨大な量の情報を「記憶」したり、複雑な計算問題を「解く」ことができる。これは、「記憶する」「解く」といった、人間が本来すべき活動を「パソコン」が補ってくれたと言える。

また、インターネットを介せば、何千km も離れたところにいる友人と「コミュニケーションをとる」こともできる。本来であれば（＝テクノロジーを使わなければ）、何千km も離れた人とコミュニケーションをとるなんて不可能だ。そういう物理的制約を、インター

ネットはなくしてくれたのである。

　このように現代人は、大いにテクノロジーの恩恵にあずかっており、それに反論する人はいないだろう。

　しかし、「パソコンで処理されたデータ」「インターネットを介して流れるデータ」その、ものを手に取ったり、触れてみたりすることはできない。すなわち、ITの世界で起こっていることを〝物質的に感じる〟ことはできない。それゆえ、ITの世界で起こっていることを理解することは難しいとも言える。

　実は、インターネットが生まれる以前にも、インターネットと同じように「身体機能を拡張」し、「物理的な制約を0に近付ける」テクノロジーというものが登場していた。「自動車」だ。

　しかし、自動車はインターネットと違い、多くの人が手に触れたり実際に目で見たりすることのできるものである。本書では、ITの分かりにくい面については、誰もがイメージしやすい「自動車」に置き換えつつ説明していきたいと思う。

　例えば、自動車は非常に便利だ。私たちが、「人体だけ」では不可能な長距離の移動を、可能にしてくれる。より遠くへ、短時間で運んでくれる。「人体だけ」では不可能な場所へアクセスできるインターネットの便利さと、似ていると言えないだろうか。

また、自動車のおかげで、それまでは諦めていた「遠くにあるので見に行けないもの」を見に行くことができるようになったし、また、一人では運ぶことの困難な、大きくて重い荷物を運ぶことだってできるようになった。インターネットがあれば、地球の裏側にある建造物を手元で見たり知ったりできるし、机にいながらにして、遠くの図書館にある膨大な量の書籍を閲覧することもできてしまう。

さらに自動車は、便利である一方で、使い方を誤ると危険な乗り物にもなる。その危険をどのように回避すべきか、経験の中で学んでいかなければならないが、この点でも、インターネットは似ていると思う。といっても、インターネットがどのように危険であるかは、まだピンとこない人がいると思うので、それは本書を読みながら、知っていってほしい。

これまでゆっくりだった進化が、突然、革命的に動く時

引き続き、自動車と比較しながら、インターネットについての理解を深めていきたい。

1870年代にガソリン自動車が発明され、その後1908年にT型フォードが登場し

たことで、自動車は大量生産され始めた。すると、急速に自動車が世の中に普及し、それまでの移動手段であった馬車が、たちまち自動車に置き換わっていった。

もし今、手元にスマホやパソコンがあってインターネットにアクセスできるのであれば、グーグルやヤフー！などの検索サイトで探してみてほしいものがある。１９００年と１９１３年のそれぞれの時代で、ニューヨーク五番街をほぼ同じ場所から撮影した写真だ。ちょうど今のトランプ・タワー（米国のトランプ大統領がニューヨークに所有するビル）が建っているあたりから撮影したものなのだが、この2枚の写真を見比べてみると非常に面白い。１９００年の五番街を走っているのは馬車だけである。しかし、13年後の１９１３年の写真を見てみると、五番街を走る乗り物は全て、自動車に置き換わっている。

わずか13年の間に、「劇的に」変化してしまったのだ。

このように、**それまでは小さく変化していたある物事が、突然急激に変化する非線形的な現象を「ティッピング・ポイント」**と呼ぶ。

インターネットと私たちの関係にも、ティッピング・ポイントは存在した。

極めて簡単にインターネットの歴史をおさらいすると、１９６９年にインターネットの前身となるＡＲＰＡネットが運用開始され、１９７４年に、今のインターネットをインターネットたらしめるＴＣＰ／ＩＰというデータ通信のための決まり（プロトコル）が発表された。――ちょうどこの頃が、自動車産業で言うところの、〝ガソリン自動車発明の時期〟として考えられるかもしれない。

その後、日本では１９９３年には、インターネットの商用利用が解禁され、２年後に発売されたWindows 95は爆発的に普及した。Windows 95の普及と共に、産業だけでなく、日常生活にもインターネットが急速に入り込み、私たちはその利便性を享受するようになった。――このあたりの出来事は、〝Ｔ型フォードの登場で一気に自動車が普及した時代〟と重なる部分がある。

このわずか20年余りの間、現代人は、より良い生活や環境を享受できるようにするため、インターネットの活用方法・応用方法をずっと考えてきたし、新たな技術を開発し続けてきた。結果、私たちの生活は激変した。

この業界の成長率は、はっきりと数字に表れている。総務省が２０１６年に発表した統計によると、１９９５年から２０１４年までの産業別ＧＤＰ成長率は、運輸業が４兆円の成長、電気機械（除情報通信機器）産業が５兆円の成長をしているなか、ＩＣＴ産業は24兆円もの成長を記録し、その成長率の高さは各産業分野の中でも突出したものとなっている。ちなみに、建設業・小売業・鉄鋼業などはマイナス成長だ。このように、私たちの生活が、インターネットをはじめとしたITに依存し、発展してきたことは、数字の上からも明らかである。

ここで「ICT産業」という言葉を用いたが、これは〝Information and Communication Technology〟の頭文字を取ったもので「情報通信技術」を意味する。日本では、2000年代の半ば頃から〝Information Technology（情報技術）〟を意味する「IT」に代わる言葉として、この言葉を用いる動きが出てきた。NTTやKDDIなど通信事業者の目線で語られる場合は「ICT」。グーグルやアマゾンなどのITサービス事業者の目線で語られる場合は「IT」。……といった具合に表現が用いられることが多いように思われるが、本書ではICTの意味も含めた上で、「IT」という表現に統一することとする。

さて、ティッピング・ポイントの話に戻る。

2015年の世界経済フォーラム（通称：ダボス会議）では、2022年には「IoT」が、2026年には「スマート・シティ」が、それぞれティッピング・ポイントを迎えるだろうという予測が発表されていた。

「IoT」というのは、あらゆるモノがインターネットで繋（つな）がっていくという「モノのI

T化」のこと。「スマート・シティ」というのは、都市全体がインターネットによって繋がっていき、生活の質が変わっていくことを言う。

これからの10年間は、これまでの20年間を超えるスピードで変化することは間違いない。**次の10年間に、私たちとITの関係は、より密なものとなっていく。**

既に、私たちの生活においても、それを支える産業などにおいても、ITはなくてはならない存在となってしまっている。もはや、今からITのなかった時代の生活に戻れる人はいないだろう。

ハッカーのリアルな姿が、イメージできるか？

みなさんが「ハッカー」という言葉を聞いた時、思い浮かべる光景はどのようなものだろうか？

洗練とは程遠い風貌の学生が、モニターの明かりだけが煌々と輝く薄暗い部屋で、コーラ片手に徹夜でハッキングに取り組んでいる姿だろうか。

もしこのようなイメージをお持ちであれば、20世紀にどこかで見たことのある映画のワンシーンが影響しているのかもしれない。

しかし、今は21世紀である。しかも、21世紀になってから17年も経っている。10年がどれくらいの変化をもたらすのか、考えてみよう。

この本を書店で手に取られた方もいれば、オンラインで注文した方もいるだろうし、電子書籍やタブレット端末の画面で読まれている方もいるだろう。オンラインで書籍の販売を行っているアマゾンが日本に上陸したのは、20世紀最後の年の２０００年。多くの人がアマゾンを当たり前のように利用するようになったのは、それよりも後のことだ。それ以前は、オンラインで書籍を購入するということは日常的なことではなかった。２０００年という年を、みなさんはどう感じるだろう？　人によっては「ついこの間じゃないか！」と思われるかもしれない。

ところで、２０１１年に東日本大震災が日本を襲った時、みなさんは家族や友人の安否をどのように確認されただろうか？　おそらく、電話での通話、もしくは携帯電話会社の提供するメールアドレス（@の後ろがdocomo.ne.jpなどのメール）を使って連絡を試みた方が多かったのではないかと思う。その結果、通信回線が逼迫（ひっぱく）してしまい、電話が繋がらず何度も何度も掛け直した経験をしたという方も多かったのではないだろうか。

当時はまだ、フェイスブック（Facebook）やツイッター（Twitter）で安否の確認をできる友人は限られていたし、ライン（LINE）が始まったのは震災発生から3ヶ月後。インスタグラム（Instagram）に至っては、まだなかった。さらに思い出してみると、当時手にしていた携帯電話は、今のようにタッチパネルや音声認識の使えるスマートフォンではなく、いわゆるガラケー（日本独自仕様で展開されているガラパゴス携帯電話の略。現在のように多機能化された携帯電話ではなく、機能が特化されていることから、海外ではフィーチャーフォンと呼ばれている）がほとんどだった。あと数年もすれば、子どもたちがガラケーを見て、それが何をするための装置なのか理解できない日が来るかもしれない。

10年前を思い出してみてほしい。いや、ほんの5年前でもかまわない。今日の世界とは全く異なる。

目まぐるしく変化するこの世界で、まさかハッカーだけが20世紀の懐かしいスタイルを貫いているわけがない。

いや、むしろ、**現代におけるハッキング行為は、世界でも最高峰の頭脳によって、洗練され、組織化され、場合によっては圧倒的な資金力によって行われている。**また、外部のハッカー組織へ〝アウトソーシング〟したり、〝サービス化された攻撃ツール〟を用いたりして、ネット通販で商品を購入するのと同じくらい手軽にハッキングをすることも可能なのである。

そもそもこの世界は、ＩＴの普及と活用によって急激に成長してきた。これぞ、ハッカーにとっては格好の攻撃対象だ。おかげで、**より手軽、かつ安価に、ハッキングを行えるようになった。**こうして、「悪意あるハッキング行為」への参入障壁はどんどん低くなり、結果、**この世界には玉石混淆（こんこう）のハッカーたちが跳梁跋扈（ちょうりょうばっこ）しているのが現実だ。**

ハッキング・ビジネスは、今や「ノーリスク・ハイリターン」の夢の職業!?

今や「ハッキング」は〝ビジネス〟である。しかも、恐るべきことに、**ローリスク（もしくはノーリスク！）・ハイリターンという、〝魅力的な職業〟の一つとなってしまった。**

ハッキングしたい（＝ハッカーになりたい）という動機は、いろいろとあるだろう。例えば、「経済格差や就職難から抜け出したい」「より多くの収入を得たい」といった、経済的動機。または「政治的な主張を行うため」ということもある。そもそも、国家の支援を受けて行われるものもある（ショッキングなことだが）。

いずれにしても、その「目的を達成する手段」としてハッキングが有効である、と考えて〝行う〟のである。

日々、「銀行がハッキングされ、多額の現金が窃取されました」とか、「政治家のメールがハッキングされ機密情報が漏洩しました」といった、サイバー犯罪に関するニュースがメディアを賑わせているが、**その背景として、多くの場合に、経済的もしくは政治的な動機が存在する。**かつてのように、知的好奇心やイタズラ半分でハッキングされることはほとんどない（インターネットの初期には、ハッカーといえば、自分の知識や能力をひけらかす〝愉快犯〟的なものが普通だった）。

ニュースを見れば分かるように、**我々の日常は、様々なサイバー犯罪の脅威に晒されている。**しかし、多くの人たちは、「なぜこのような事件が起こっているのか」「なぜ犯人はこんなことまでできてしまうのか」「自身の持っているパソコンも本当は危ないのか」といったことに関しては、説明もつかないし、想像もつかない、というのが正直なところではないだろうか。

一つ断言できることは、現代においては誰もが、「最新の技術」さえあれば、ジェームズ・ボンド（映画「００７」シリーズの主人公）のように、たった一人で華麗に巨悪と戦うことができるし、信じられないような悪党にでもなれる時代を生きている、ということだ。

「サイバー犯罪」を理解できていないまま報道するメディア

筆者は本書執筆にあたり、サイバー犯罪の事例について認識の誤りがないよう、これまで各種報道されてきた記事なども、複数の方法で確認した。

多くの報道内容を確認していくなかで、プレスリリースをインターネット翻訳しただけのような、どの角度から読んでも全く理解できない文章を多々見かけることとなった。用語が混同されていたり、製品名と通信プロトコルの名称が混同されていたり……というのが主な要因だと思われるが、残念なことに、大手報道機関の文章にも、そういった誤りが散見されたのである。

だが、これも仕方ないと言えなくもない。というのも、もはや、単に**「ＩＴに詳しいだけ」ではサイバー犯罪やセキュリティについて読み解き、説明をしていくことは難しい、**というのが実情だからだ。

最近、自動車の自動運転が話題となることが増えてきている。それと並行して、自動車もハッキングされて遠隔操作されてしまうという研究報告も出ている。自動車のハッキングについて理解するには、自動車に関する基礎的な知識、自動車のＩＴ化に関する知識に加え、ハッキングに関する知識やネットワークに関する知識なども総合的に必要となる。そのため、いずれかの領域の専門家であったとしても、全体像を正確に理解することは容易でない。理解そのものに時間を要するようになってしまった今、それを、分かりやすく一般に向けて解説することは、あまりに難しい。

このように、それなりに知識があるはずの「情報を伝える側」にさえ難しいのが、この世界なのだ。当然ながら、情報を受け取る側にとっては、一層難しい。

日本がサイバー犯罪に狙われるのには理由がある

これまでの報道で語られてきた〝サイバー犯罪〟は、「A社で1万人の情報が漏洩しました」とか「Bというソフトウェアにセキュリティ上の欠陥がありました」といった、最低限の事実のみだった。もちろん、このような情報を知らないと、現実を知ることも、危機意識を高めることもできないので、必要なニュースではある。しかし、このニュースを聞いたとして、普通の人は具体的な行動には移しづらい。対策したくても知識がないし、そもそも、なんでそんなことになったのか想像さえつかない。

だが、知識がなくてもできることがある。その背景と原因に、思いをめぐらすことだ。

全ての出来事の背景には理由がある。選挙で意外な候補者が当選したとしよう。意外とはいっても、そうなった背景と理由が、必ずある。どこかの国がミサイルを発射したとしよう。それにも必ず背景と理由がある。

サイバー犯罪も同じだ。サイバー犯罪にも、理由は必ずあり、いくつかの条件が重なった時に〝犯罪が成立〟してしまうのだ。そして、残念ながら、**サイバー犯罪において、日本はとても魅力的な〝市場〟**となってしまった（いかに魅力的であるかは第3章96ページ～「〈マーケットとして〉日本市場の魅力」で説明する）。

当然ながら、〝狙われる〟のは技術的にも人的にも弱いところだ。数年前に亡くなってしまった有名な経営者の方が、生前におっしゃっていた言葉で、いつも思い出すのが「バカな味方は敵より怖い」である。

サイバー空間を「地政学」で捉え始めている

近年、「地政学」という言葉が目立つようになり、書店でもこの三文字をタイトルに掲げたものをたびたび目にする。

「地政学」という学問は、地理的な環境が「国家」に与える影響を研究するもので、戦前にドイツの地理学者カール・ハウスホーファーや英国の地理学者マッキンダーらによって唱えられたということもあり、「大陸」の視点で述べられたものである。

この地政学を現代社会の考察に使っていくと理解が深まるので、例えば、「敵を攻撃する」ことを例にして説明しよう。

大陸間弾道ミサイルの場合、射程距離と着弾リスクには相関関係がある。しかし、サイバー攻撃が現実となった現代においては、目の前のものを攻撃することも、地球の裏側にあるものを攻撃することも、相違なくなってしまった。さらに、サイバー攻撃は、重要な国家の機密情報を盗み出したり、インフラを麻痺させたりといった、現実世界に大きな影響を与えることさえできるのである。

米国、中国、ロシア、イスラエルなどでは、現在、地政学に関する研究が進んでいると言われているが、注目すべきは、「サイバー空間も考察に含めた」形での研究が進んでいるという点である。米国トランプ政権の国家通商会議委員長であるピーター・ナヴァロが、著書でそのことに言及している。

ちなみに、サイバー空間への地政学的なアプローチは、国際政治学者や軍事評論家だけではなく、投資家や事業家なども着目している。これはすなわち、**「サイバー空間での出**

来事」が「現実世界の動向」に重要な影響を与えていることを表している。

サイバーセキュリティは、基礎的教養

前述したように、私たちはパソコンを活用することで、膨大な量の情報を記憶することや、複雑な計算問題を解くことができるし、インターネットを介して何千㎞も離れたところにいる友人とコミュニケーションをとることもできるようになった。

しかし同時に、ITが我々に危害を加えるためのテクノロジーとなってしまうことも、近年になってようやく理解されるようになってきた。

とはいえ、「セキュリティ」に対する意識は、個々でかなり差がある。そもそも、テクノロジーに対する温度差も個々でかなり違うのだから、その先の「セキュリティ」となれば、意識の高低に差がつくのも当然だ。

かつて人類は、「火」の発見、「刃物」の発明以来、その〝利便性〟を享受してきた。しかし、熱いものを持ったら火傷するし、刃物の刃先を持ったら怪我をする。火も刃物も、その利便性と同時に危険も帯びているわけだが、先人たちは、こうした〝負の側面〟と向き合い、経験的に学ぶことで、テクノロジーと安全に付き合う術を築き上げてきた。

時代が変わっても、人としての基本的な姿勢は変わらない。先人たちは、サイバー空間にある脅威についても、多くの痛い目に遭って経験的に学んできたはずなのである。良くも悪くも日本には多くの事例があるのだから、失敗の体験（learning experience）を学びに変えるべきなのだ。

本書を読んでいくにあたって、覚えておいてほしいことがある。**「サイバー犯罪」においては、常に〝革新的なイノベーション〟が起こってばかりいるわけではない**、ということだ。従来のテクノロジーをもとに、手を替え品を替え、現代風にアップデートされているにすぎないものも、たびたびあるのだ。

サイバー犯罪は日進月歩でどんどん新しくなっていくような印象を持つかもしれないが、実際は蓄積されてきたものを分析・判断することで対策が組めるものもあるのだから、失敗したことをスルーせずに、理解しようとする作業が必要だと私は考えている。

第2章 サイバー犯罪の実態と背景

「セキュリティ」から、何を連想するか？

つい5年ほど前までは、上場企業の役員とのミーティングで「今日はセキュリティの話です」と言っても、「うちは大丈夫だよ。先月、防犯カメラを付け替えたばかりだから」などと言われることがほとんどだった。もちろん、この上場企業の役員は、何も間違えたことは言っていない。「セキュリティ」という言葉から多くの人が連想するものは、「サイバーセキュリティ」ではなかったからだ。

逆に、ＩＴ業界に長くいる人と話をすると、「今さらセキュリティなんてやって儲かるの？」などと聞かれることも多々あった。ファイアウォール（「通過させてはいけないもの」を遮断する装置）は、２０００年頃には既に普及しており、ＩＴ業界を長く経験している人たちほど、ファイアウォールさえあればセキュリティ対策は万全であると信じているように感じられた。

しかし、ここまでお読みいただいてお分かりのとおり、ハッキング手法やハッカーは日々進化しており、**20年も前に開発されたファイアウォールだけで万全な対策を講じることなど、不可能**である。

日本で、セキュリティの話に真剣に耳を傾ける人が増えてきたのは、2013年になってからだ。2013年といえば、**米国の諜報機関・NSAの元職員だったエドワード・スノーデンが、NSAの内部情報をリークした年**である。この年の元旦の読売新聞1面は、農林水産省での情報漏洩事件についてだったが、これを見て私は「ようやくセキュリティに関する事件が、一般的なメディアでも大きな枠を割いて取り上げられるようになってきた」と感じたのを覚えている。

もちろん、あなたが普段関わっている業界やコミュニティによって、こうした感覚はそれぞれ異なるので一概には言えないが、「セキュリティ」という言葉から連想するものが、「防犯カメラ」や「警備員」などから、「サイバーセキュリティ」へとなってきたのは、ここ数年でのことではないだろうか。

ハリウッドの超大作に続々登場するハッキングシーンは、SFでなく現実

近年では、映画やドラマで、ストーリーの肝となる重要な場面にハッキングのシーンが用いられることも増えてきた。

ダニエル・クレイグ演じる「007」のジェームズ・ボンドの敵は、2012年公開の

「スカイフォール」ではサイバーテロリストだった。

トム・クルーズ演じる「ミッション：インポッシブル」のイーサン・ハントは、2011年公開の「ゴースト・プロトコル」において、それまでの作品以上にハッキングを行って任務を遂行する場面が増えたように感じた。

そして、ブルース・ウィリス演じる「ダイ・ハード」のジョン・マクレーン刑事は、2007年公開の「ダイ・ハード4・0」で、早くもサイバーテロリストと戦っていた。

もちろんこれ以前にも、ハッキングをワンシーンに用いた映画作品は存在してきた。例えば、2001年に公開された「ソードフィッシュ」では、ヒュー・ジャックマン演じる天才ハッカーがストーリーにおける重要な役どころとなっている。ちなみに、この映画の中に、徹夜でハッキングをする場面があるが、ハッキングが次々に成功してハイになっている場面などは、プログラミングを経験したことのある人なら大いに共感できるのではないだろうか。

そんな具合に、シリーズ物として長年にわたって愛され、世界中の幅広い層から支持されている〝ハリウッド超大作〟では、2010年前後くらいから、登場人物が目的を達成するための手段としてハッキングを用いる場面が増えてきているのである。

公道レースに興じる若者たちを描いた「ワイルド・スピード」シリーズでも、2017年公開の「アイスブレイク」では、サイバーテロリストとの戦いとなっている。もはや〝走り屋〟たちでさえも、ロサンゼルス市警による交通違反の取り締まりだけでなく、サイバーテロリストにまで注意を払わなくてはならない時代になったのだ。

ここで私が言っておきたいのは、これらの映画作品の中で表現されるシーンは、決して映画の中だけで起こっているファンタジーではないということ。むしろ、現実に起こってしまっていることを、映画の中で〝多少のエンターテイメント要素〟を含めながら表現されている、と考えてもいいのかもしれない。**ハッキングによって施設を吹き飛ばすことも、大量の自動車を遠隔操作してしまうことも、現実には既に可能なこと**なのだから。

1968年に公開された「2001年宇宙の旅」では、人工知能のHAL9000が暴走して、宇宙船乗務員の生命維持装置を停止させていく場面がある。

そもそも何をもって人工知能と定義するのかも曖昧ではあるが、現実社会において、人工知能に関連する技術の進展は目覚しく、「人工知能が人間に反旗を翻す日がいつくるのか」についての議論は多い。

実際、それに近い状況は既に起こっており、1988年に、モリスワームと後に呼ばれるプログラムが自己増殖を繰り返すことで６０００台のサーバに侵入し、インターネットに多大なる負荷を与えてしまったということがあった。これはもともと、米国コーネル大学の学生がインターネットの規模を測定するために実験として行ったことだったのだが、プログラム上に存在したミスが原因で、このような事件にまで発展してしまったのである。

当時、米国会計検査院（ＧＡＯ）は、その損害額を１０００万ドルから1億ドル（当時のレートで、およそ13億円から１３０億円）と見積もった。この頃は、まだインターネットの商用利用が認められる前であったが、現在のようにインターネットへの依存度が高い社会で同じようなことが起こったとしたら、その影響は計り知れない。

あなたは知らないかもしれないが、今やコンピュータ・ウイルスやマルウェア（有害で悪質なソフトウェアやコードの総称）は自己増殖を繰り返し、自ら進化して拡散している。なんと、２０１６年の時点で、**一日に30万種類ずつ以上増え続けており**、サーバやパソコンなどに感染することで、その猛威を振るっている。

ある人にとってはＳＦの話かもしれないが、ある人にとっては、いや、インターネットを使用している全ての人にとって、現実の出来事なのだ。

ハッカーにとって、あなたは十分「利用価値」がある

あなたがもし、大企業の幹部や政府関係者であった場合、特殊な技術の設計図や、経営に関する重大な情報、国家の存亡に関わるような機密情報……など、たいへんな秘密を持っているはずだ。そのような情報というのは、競合する企業や敵対する国家、またその機に乗じて利益をあげたい者などにとって、非常に魅力的なものであり、〝あなたの持つ情報〟と〝あなた自身の価値〟は非常に高い。

そのため、**常に何者かがハッキングを試み、あなたからその情報を盗み出そうとしている。**

こんな話をすると、「うちの会社は中小企業だから、盗まれるほどの情報はないよ」とか「私が重要な情報なんて持っているわけがない」とおっしゃる方が多いのが現状である。

では、あなたが大企業の幹部や政府関係者などでなければ、ハッキングなどの被害に遭うことはないのだろうか――？

「六次の隔たり（Six Degrees of Separation）」という理論がある。

「人は自分の知り合いを6人以上介すと、世界中の人々と間接的な知り合いになることができる」という仮説のことであり、知り合いの知り合いを6回たどれば世界中の人と繋がることができるという。ちなみに、日本で2004年からソーシャル・ネットワーキン

グ・サービスとして運営されている「GREE（グリー）」の名称の由来はここ（De“gree”s）からきている。

試しに計算してみよう。

あなたの知り合い44人から、さらにそれぞれの知り合いの44人という具合にたどっていくことを数式に表すと「44人の6乗」となる。44人の6乗は、7,256,313,856人。すなわち世界の人口（国連による2013年の統計で約72億人）と同じくらいの人数がそこには存在することが分かる（ただしこの場合、理論上は、最初の44人と次の44人、そしてその先に繰り返している44人ずつはそれぞれが互いに重複してはならない）。

つまり、**あなた自身が重要な情報を持っていなかったとしても、あなたの友人やそのまた友人を何人かたどっていくことができれば、重要な情報を持った人物にたどり着ける可能性が極めて高い**ということだ。

もしあなたに情報的な「価値」がなかったとしても、**あなたには「利用価値」がある**のだ。

あなたの銀行口座が、300ドルで買われている可能性!?

「重要な情報を持つ人たち」は、自ら所持する情報の価値を把握しているので、セキュリティへの意識も高く、それなりの対策を既に講じていることも多い。

かたや、ハッカーの側もできるだけ手間とコストをかけずに目的を達成したいわけだから、いきなり〝セキュリティ意識の高いターゲット〟を攻撃するのは効率が悪い（単なる愉快犯であれば、手間やコストとは無関係に〝楽しむ〟かもしれないが、現代のハッカーにはほとんどの場合、経済原則が働いているので）。

そこで、ハッカーはどう考えるか？

セキュリティに対する意識が極めて低い人を「踏み台」として利用し、重要な情報を持つ人へと繋がっていくことを試みるのがベストだ。このような攻撃の手口を**「踏み台攻撃」**と呼ぶこともある。一般的に、踏み台というものは、低い場所から高い場所にあるものを取るときに使うものなのだが、この場合は「セキュリティ対策や意識の低いところ」を踏み台としてターゲットに近付いていくということになる。

では、重要な情報も持たず、友人との交流も閉ざしてしまえば、ハッカーに狙われることもなくなるかといえば、そうもいかない。

もし、あなたの銀行口座に7万ドル～15万ドル（およそ800万円～1800万円）の預金残高があった場合、その「銀行口座情報」は、地下マーケットで300ドル（およそ3万3000円）で売買できる価値があるということが、分かっている。口座情報だけで、既に価値があるというわけだ。これは、米国のコンピュータ会社であり軍需企業でもあるデルが、2013年に行った調査によるものだ（＊2014年の調査では4200〜9000ドルまで上がっている）。

ちなみに、クレジットカード情報は、地下マーケットで1件あたり数百円から数千円で売買されているらしい。両者を比べてみると、直接〝現金〟へアクセスができる「銀行情報」のほうが価値があるということが分かる。

銀行口座情報の盗み方

では、実際に、どのようにして銀行口座情報を盗み出すことができるのかを見ていこう。

昔からスパイ映画などでは、敵対する組織に潜伏することで重要な情報を盗み出すというシーンがよく見られるが、ハッキングの世界でも同じような発想を用いることがある。

2012年に起こった「オペレーション・ハイローラー（Operation High Roller）」という事件は、次のような手口だった。まず、

①被害者のパソコンをマルウェアに感染させるところから始める。ちなみに、サイバー犯罪のニュースなどでもよく耳にする「マルウェア（malware）」とは、悪意のある（malicious）ソフトウェア（software）の総称であり、コンピュータ・ウイルスなどはその一つである。マルウェアに感染させる方法は、まず取引先を装った偽メールを送りつける。「見積書」などの名前を付けた添付ファイルにマルウェアを仕込んでおくのだ。**被害者はいつもの取引先から届いたメールということで安心し、何のためらいもなく添付ファイルを開く。その瞬間にマルウェア感染してしまう。**その他にも、**被害者がよく訪れるウェブサイトに不正侵入し、そのウェブサイトにアクセスしてきた人のパソコンに自動的にマルウェアが感染するような仕組み**を作っておいてもよい。

何かしらの方法で、被害者のパソコンはマルウェアに感染するのだが、その動作は巧妙に仕組まれており、驚くことに、**被害者はマルウェア感染していることに気付いていないことがほとんどだ。**

マルウェアは、メールの添付ファイルとして仕込まれている以外にも、ウェブサイトからダウンロードしたファイルからの感染。また、拾ったＵＳＢメモリの持ち主を確認するためにパソコンに差し込んだ時に感染することなど経路は多岐にわたるが、「マルウェアに感染した3件のうち2件は、メールの添付ファイルとして届いたものであった」ということが、米国通信企業ベライゾンの調査で分かっている。

②ある日、この被害者は、取引先への支払いを行うために、インターネット・バンキングを利用することになった。マルウェア感染している状態のパソコンを用いて（当然、被害者本人は、感染していることに気付いていない）。パソコンでインターネット・バンキングのログイン画面を表示させようとしたまさにこの時、それまで潜伏して大人しくしていたマルウェアが動き出す。この被害者がログインすると、パソコンのブラウザが乗っ取られ、ハッカーによって自動での不正送金プログラムが作動してしまう。ブラウザとは、Internet ExplorerとかSafariとかGoogle ChromeやFirefoxなど、パソコンでインターネットを見る時に使っているいつものそれ、である。

③ハッカーにとって、被害者のブラウザは遠隔操作できる状態になっている。そこで、被害者のブラウザから自動的に不正送金が行われ、あらかじめ用意しておいた口座に、被害者の口座から送金を行ってしまう。もちろん、送金する先の口座も、どこかから盗んできたような口座なので、ハッカーの実名が口座名義人として表示されるような間抜けなことはない。不正送金の処理を行っている最中は、「読み込み中」などの偽物のメッセージが

いつものように表示されているため、被害者も気にも留めていない。

こうして、**被害者の銀行口座からお金を盗み出すことに成功してしまう。**

④不正送金で盗んだお金は貯金していてもしょうがないので、海外送金を経て、一度国外の銀行から引き出し、後に別の送金サービスで、さらに別の国へと送金するなど、匿名性を高めることで追跡を困難にしてから引き出すことになる。

被害に遭ったことに被害者自身が気付かない、悪魔の方法

ここでポイントとなるのは、被害者がインターネット・バンキングに〝正しい方法でログインした後〟で、ブラウザが乗っ取られている、ということ。そのために、**インターネット・バンキングのパスワードや通信の暗号化をどれだけ強力なものにしても、防ぐことができない可能性が高いのだ。銀行のシステム側から見ても、正しい手順でログインされたパソコンからの通信のため、不正な操作であることに気付きづらい。**

このような事件の被害者にならないためには、どうしたらいいのだろうか？　言えることはシンプルだ。マルウェアに感染した時点、もしくはマルウェアに感染する前の時点で、気付かなくてはならない。

このような一連の手口は、マン・イン・ザ・ブラウザ（Man in the Browser、単にMITBと略すこともある）と呼ばれ、2008年頃から見られるようになった。マルウェアと遠隔操作によって、ブラウザの中に潜伏していたハッカー（ブラウザの中の男）によって行われる〝二人羽織〟のような形をした手口のため、このように名付けられている。

米国セキュリティ企業のマカフィーと、米国金融犯罪調査会社のガーディアン・アナリティクスとの調査によると、この「オペレーション・ハイ・ローラー（Operation High Roller）」という事件では、2ヶ月の間に欧州・米国・中南米の1万4000以上の金融機関から6000万ユーロから20億ユーロ（およそ60億円から2000億円）にのぼる不正送金が行われた。

ハッキングを伴うこの不正送金事件は、複数の犯罪グループによって行われたのだが、いくつかのグループでは、日本円換算でおよそ1億円以上の預金残高がある銀行口座から、最大で3％（1億円の預金残高がある場合、300万円）ずつを上限に、こっそりと抜き取ってしまうという方法を取った。しかも、被害者のブラウザには「抜き取られる前の残高」が表示されるようにハッカーが細工した偽画面が表示されるため、すぐには被害に遭ったことに気付けない。

例えば、私の預金残高が1万円だったとしよう。実際には、3%相当の３００円が盗まれてしまっているので預金残高は９７００円になっているが、インターネット・バンキングでパソコンから見てみても、ハッカーが精巧に作り上げた〝偽画面〟が表示されているので、預金残高は1万円のままである。

ある日、ネット通販で買い物をしたので、商品代金として６０００円を振り込むことになった。すると、実際には預金残高９７００円の銀行口座から６０００円を振り込むので、預金残高は３７００円になる。しかし、〝偽画面〟によって４０００円があるように表示されている――。

ここで**ハッカーが巧妙なのは、「盗む上限を3%としている」ことだ。**いくら偽画面で預金残高が減っていないように表示されていたとしても、「あるはずの（とあなたが思っている）額を振り込もうとしたら、エラーが出てしまった」ならば、「あれ？　あるはずのお金がない。調べてみよう」ということになる。例えば、私の1万円のうち８０００円を盗んでしまうと、気付かれやすいのだ。

しかしこれがわずか3%であれば、何かの拍子に「あれ？　思っていたよりも残高が少ないなあ」となったとしても、「何かの手数料を差し引かれたのかな」くらいにしか考えず、よほど小まめに記帳してチェックしている人でもない限り、気付くことは難しい。

これは預金残高の多寡に関係ない。実際、**この事件で被害に遭った「1億円以上の預金残高がある口座の所有者たち」は、すぐに気付くことはなかった。**

では、重要な情報も持たず、さしたる友人もおらず、そしてお金も持っていなければ狙われることはないのかというと、そういうわけでもない。

あなたにはまだまだ利用価値があるのだ。後ほど第4章（169ページ～「これが、ハッカーのやり方だ。……」）で詳しく述べていくことにする。

あのインターポールでさえも、サイバー犯罪の扱いは困難

前述の「オペレーション・ハイ・ローラー（Operation High Roller）」という事件を見てみても、**サイバー犯罪が高度に知的で複雑な国際犯罪となっている**ことが分かる。

国際犯罪の防止を目的として、世界各国の警察機関により組織されている「国際刑事警察機構（通称、インターポール）」でも、2015年に、サイバー犯罪に特化した「IGCI（The INTERPOL Global Complex for Innovation）」という組織をシンガポールに設置した。サイバー犯罪の解決に向けて、IGCIには世界中から優秀な技術者や警察官

たちが集められ、着実に実績をあげている。

余談であるが、フランスを本拠地とするインターポールにおいて、組織内での公用語はフランス語・英語・スペイン語・アラビア語である。インターポールが関連施設を設置する場合、このいずれかが公用語として用いられている国が選ばれる。シンガポールは英語を話す国なので問題ない。問題ないどころか、IGCIの設置にあたっては、シンガポール政府自ら、積極的に誘致に名乗りをあげたようである。国際会議の開催や、駐在員・出張者の滞在によって、経済効果があることに注目したのだろう。私は、インターポール主催のカンファレンスのためにシンガポールを訪れることがあるのだが、サンテックやマリーナベイ・サンズなど、シンガポール有数の大規模施設が会場となることも多く、周辺のホテルでは、関係者と思われる人たちをよく目にする。

シンガポールは、人口約560万人で、日本における兵庫県と同じくらいの人口規模なのだが、住宅の家賃は世界でもトップクラスに高騰しており、香港と並ぶ。駅前の再開発により、この10年でタワーマンションが激増して、急激に変貌した神奈川県川崎市の武蔵小杉駅前並みの地価高騰ペースだと言う不動産関係者もいる。

しかし、シンガポールに住む人たちの所得格差は強烈である。一説によると、100倍もあるとも言われており、1・1倍程度の日本とは比べものにならない。

イメージしていただくために、一つたとえてみよう。

――年齢や職業が非常に近い者同士3人を並べてみる。そのうちの1人、Aさんの年収が、日本人の平均年収に近い400万円だとしよう。すると友人Bさんの年収もCさんの年収も、400万円から440万円くらいの範囲内であることが多いのが、日本の場合だ。

ところが、これがシンガポールだったら、AさんとBさんの年収が400万円でも、Cさんの年収は4億円、なんて可能性もなくはない。

彼らがシンガポールの屋台で肩を並べてバクテーを食べるなんてことはないとしても、同じ道路に、現地価格で1台1億円（日本円換算）のフェラーリやランボルギーニと、現地価格で1台1000万円（日本円換算）のセダン（主に日本製や韓国製）が入り乱れて走る光景だったらイメージできるだろう。ちなみに、シンガポールでは自動車が非常に高額なため、「1000万円の日本車」といっても、レクサスなどではなく、日本での販売価格が200万円前後の自動車のことである。以前、空港から乗ったタクシーのドライバーさんに聞いてみたところ、タクシーの仕事を始めるのには初期投資が2000万円（日本円換算）もかかるとのことだった。

このように経済環境が特徴的なシンガポールには、優秀な人材が集まりやすい。周辺のインドネシアやマレーシアなどからも、優秀な人材がチャンスを求めて多く集まってくる。シンガポールは、欧米系の金融機関が多いことで知られているが、優秀なＩＴ技術者も多い国だ。英語が公用語で、欧米系企業での勤務経験もある人が多いため、日本のＩＴ企業がこれまで付き合ってきた欧米企業と同様の感覚で、一緒に仕事をしやすい国の一つだと私は思っている。

余談が長くなってしまったので、インターポールに話を戻そう。〝国際刑事警察〟であるインターポールでも、実はできないことがある。それもかなり〝重大なこと〟ができないのだ。

なんとインターポールには、捜査権どころか逮捕権がない。人気アニメ「ルパン三世」の銭形警部（同作品内では、インターポールの捜査官という設定）は、「ルパ〜ン、逮捕する〜」と叫びながらパトカーに箱乗りしてルパン三世を追いかけているが、実は〝銭形のとっつぁん〟に、そのような権限はない。そのため、実際にルパン三世を追いかける場面では、実は現地警察を引き連れているのである。

ＩＧＣＩでのサイバー犯罪対策においても、〝銭形警部〟と同様に、現地警察との連携が非常に重要となってくる。

しかし、**必ずしも全ての国家が〝国際規模のサイバー犯罪〟の捜査に協力的なわけではない。**

また、〝政府が背後で関与しているようなサイバー犯罪〟については、警察ではなく、軍での対応となるため、インターポールはその案件から引かなくてはならなくなる。

せっかく優秀な人材を集めて活動していても、サイバー犯罪の捜査を行うことは一筋縄ではいかないのが実情なのである。

しかも、いくつもの制約を乗り越えた末に、なんとかサイバー犯罪の被疑者を検挙するに至っても、**有罪判決が下るのはわずか10％**ということが、国連薬物犯罪事務所の調査で分かっている。

インターネットの世界の「匿名性の高さ」と、現実世界の「制約」のせいで、**サイバー犯罪は検挙することが難しい。**もし検挙されても、罰することが容易ではないため、**悪意のある人間にとって、ローリスク・ハイリターンの魅力的なビジネスとなってしまった**のである。

インドに優秀なＩＴ技術者が多いのは、カースト制度のおかげ!?

ＩＴ業界の中でもシステム開発業に関する話になるが、ＩＴ技術者の職務を大きく分けると、「開発」と「運用（開発されたものが安定的に動き続けるための役割）」の二つに分類することができる。もちろん、システムの用途や業種によって細分化できるし、異なる言い方をされることもあるが、概ねこの二つに分類できると考えていい。

しかし、「セキュリティ」に関しては、このどちらかに完全に分類することは難しい。開発技術者の延長線上にセキュリティ技術者としてのキャリアが存在するわけでもなく、セキュリティ技術者の延長線上に運用技術者としてのキャリアが存在するわけでもないからだ。

「難しいことをやり遂げるのがインド人、不可能なことをやり遂げるのがロシア人」という冗談話を、ロシア人技術者から、笑いながらも誇らしげな口調で聞いたことがある。

ロシアで用いられているＩＴ機器は、80％近くが国外の製品にもかかわらず、一説によると**世界のサイバー犯罪収益の50％はロシア系ハッカーによるものである**と言われている。しかし、**ハッカー全体に占めるロシア系ハッカーは10％程度**と言われている。

これがいったい何を指すか。

ロシア系ハッカーは非常に優秀なため、同業者同士の中でもその能力は卓越している、ということだ。

そして、〝不可能なことをやり遂げるロシア人〟技術者も一目置かざるをえないのが、インド系のインド人技術者である。シリコンバレーの発展を支えてきた技術者の中には、インド系の技術者が多い。日本のＩＴ企業でも、多くのインド人技術者が働いている。そのためか、外資系のＩＴ企業が集まる六本木や品川周辺には本格的なカレー屋さんが多く、店内を覗くといつも忙しそうだ。

ところで、インド人に対してどんな印象を持っているだろうか。私が子どもの頃は、絵本や地図を見て、インド人はみんなターバンを巻いていると思い込んでいた。今でも、カレー味の食品などに、ターバンを頭に巻いたインド人が描かれているのを見かける。

しかし、実際にあなたが街やメディアなどで見かけるインド人の大半は、ターバンを頭に巻いてはいない。

そこに、インド人が世界のＩＴ業界で躍進した理由の一つが、垣間見えてくる。

ご存知のとおり、もともとインドには、カースト制度という身分制度が存在し、その階級や宗教に応じて就ける職業も決まっていた。そして、今もそれは残っている。

このカーストの中で、外交官など〝海外に出て行くことができる職業〟に就ける人たちが信仰していた宗教がシク教だった。ターバンを巻いているのは、主にシク教徒の人たちである。そのため、インド以外で見かけるインド人の多くはターバンを巻いていることが多くなるのだ。こうして、〝インド人のイメージが〟築き上げられていったと思われる。

このように職業までも制限する身分制度――カースト制――は、紀元前13世紀頃にはその枠組みが作られたとされる。非常に古い制度なのだが、古いがゆえに、この身分制度が規定する職業の中に「IT」という分類はない。これこそが、インドの優秀な人材がIT業界に集まった理由である。

IT業界に関しては、階級にかかわらず、優秀な人材が仕事に就くことができた。特に、**階級が低いところに分類されていた人たちにとっては、成功を掴む絶好の手段となった。**

「貧困からの脱出手段としてのIT」が抱える闇

もう一つ、インドがIT業界で勝てる大きな理由がある。

ITにおける競争優位性を誇るために重要な要素の一つが、人海戦術だ。となれば、13億の人口から生み出される人材供給力も、インドの強みといえる。

強力な人海戦術を使える国といえば、同様に13億の人口を抱える中国も忘れてはならない。

その中国では、地域間の所得格差がしばしば問題視されており、ニッセイ基礎研究所の調査によると、２０１４年の一人あたりの可処分所得は、都市部と農村部とで２・７５倍の格差があるそうだ。

興味深いことに、**中国においても、インドと同様に、「ＩＴ」がこの格差を埋めていく絶好の手段**となっている。

とはいえ、それは**必ずしも〝良い方法〟ばかりではない。**

その手法――〝良くない方法〟というのが、実際にどのように行われているのか、簡略化して説明しよう。

貧困な農村部に住む青年が、パソコン一台と知識と能力で、日本企業などのウェブサイトに不正に侵入し、内容を改ざんしてしまう。その際に、特定の人にだけ分かる方法で自分への連絡先やサインのようなものを書き残しておく。すると、常に優秀なハッカーを求めている都市部の組織が、その〝連絡先やサインのようなもの〟を拾う。こうした連絡先を主に拾っていくのは、サイバー犯罪を組織的に行っている者や、産業スパイ行為で知的財産を窃取したい者だったりもする。そういう組織にとっては、「こんな大企業のウェブサイトをハッキングしてしまうなんて素晴らしい！　是非とも我々の組織に！」となり、青年のもとには、仕事のオファーと、都市部に出て行くための電車のチケットが届くのだ。

また、日々ハッキングに勤しんでいる者たちの中には、**不正侵入に成功したウェブサイトを誇示し、闇サイトでそのランキングを競い合っている者も存在する。**

ハッキングの成果がランキングされているわけで、当然ながら、このサイトを見れば、誰が有望なハッカーであるのかが一目瞭然だ。

彼らは、経済的な成功を目指して日々研鑽を積んでいるわけだが、それは〝労働〟として取り組んでいるというより、むしろ**〝ゲーム〟を楽しんでいる**感覚なのだろう。

今やプロゲーマーという職業が世界中に存在する。ゲーム会社などがスポンサーとなって彼らの生活基盤を保証し、彼らはその上で活動するのである。eスポーツという名前で呼ばれることもあり、米国ではプロゲーマーに対して、アスリート向けのP－1Aビザが発行されて入国を許可されたという例もある。

多くのハッカーも、このプロゲーマーのような感覚に近い。

ハッキングしている側は、「スーパーマリオ」を楽しんでいるような感じだろうが、踏み潰されている〝キノコ〟や〝カメ〟は、多くの人たちの生活を支えている企業だ。「ポケモンGO」を楽しむハッカーに捕獲されているのは、あなた自身かもしれない。

技術的習熟度の低いハッカーでも「驚異的な収益」をあげられる時代、到来！

次に、視点をアフリカに移したい。西アフリカでは、毎年668校の大学から1000万人以上の卒業生が出ている。がしかし、その内のほぼ半分が就職できていない。これはアフリカ経済改革研究センター（African Center for Economic Transformation）の調査で分かっている。

さらに、インターポールの調査に、こんなものがある。西アフリカで摘発されたサイバー犯罪者の約半分が失業中であり、なおかつ、ほとんどが19歳から39歳の年齢層に含まれていたというのだ。

大学を卒業したものの、職を得ることのできなかった若者たちが、やむなくサイバー犯罪に手を染めているという状況が考えられる。

「**ヤフーボーイズ（Yahoo Boys）**」という言葉をご存知だろうか？　2000年代前半、ネットカフェのパソコンから、大手インターネットポータルサイトのヤフー！が提供する無料の電子メールやメッセージング・サービスなどを利用して詐欺行為などのサイバー犯罪を行う人が増えた。ヤフー！を主に利用していたことから、こういった犯罪に手を染める人たちを総称して「ヤフーボーイズ」と呼ぶようになったのだ。ヤフー！からしてみれば、ヤフー！があたかもサイバー犯罪に加担しているような印象になり、迷惑な話だろう。魚を捌くのに用いられる「出刃包丁」も、その言葉を発する人次第では物騒に聞こえてしまう。便利な道具も、使い方次第ということである。

技術をさらに磨き、熟達させてきた〝ヤフーボーイズ〟たちは、現在、好んで「BEC（Business E-mail Compromise・ビジネスメール詐欺）」という詐欺行為を行っている。日本でも近年徐々に増え始めており、2017年には情報処理推進機構（IPA）からも注意喚起がなされているほどだ。

FBI（Federal Bureau of Investigation・連邦捜査局）の報告によると、2013年10月から2016年5月までの**およそ2年半の間に、「ビジネスメール詐欺」によって盗み出された額は、世界中で30億ドル以上（およそ3300億円以上）**にのぼっている。

ビジネスメール詐欺と言われても分かりづらいかもしれない。企業をターゲットとしたオレオレ詐欺と言えばイメージしやすいだろうか。

具体的には、実在する取引先や上司を装って、偽装したメールアドレスから連絡をする。一見すると勘違いしてしまうような〝見た目の似た〟メールアドレスを使うのがポイントだ。こうして、金銭を詐取するのである。

また、日本のオレオレ詐欺でも、なんと加害者グループに中学生がアルバイト感覚で参加していたりするのだが、**若年層グループによる犯行が目立つのは、日本に限らず、世界を見渡しても共通している。**

「オレオレ詐欺」では、まず電話をかける先のターゲットリストを準備するところから始める。「ビジネスメール詐欺」でも同様に、まずターゲットのメールアドレスが必要である。

どうやってリストを集めるかというと、**ウェブサイトからメールアドレスを自動で収集するためのツールがいろいろある**ので（時には、検索サイトを組み合わせて使用したりもする）、そういったツールを活用すればいい。ちなみに、これらのツールの多くは〝無料〟だ。ひと昔前に、日本でも〝迷惑メール配信業者〟なる詐欺集団があったので、大量に迷惑メールが送られてきた経験をほとんどの人がしているはずだ。あの〝業者〟も、そういったツールを使って、メールアドレスを収集していたのだ。

ターゲットとなるメールアドレスを収集できたら、いよいよターゲットに詐欺メールを配信することになる。

「オレオレ詐欺」の場合は、架空名義の、いわゆる「とばし」の携帯を用いることで警察からの追跡を攪乱するが、これが「ビジネスメール詐欺」になると、だいぶ違ってくる。

ビジネスメール詐欺の手法を簡単に説明しよう。まず、第一のターゲットとなる他人のサーバをハッキングして不正に侵入し、プログラムを勝手にインストールしてしまう。そして、そこ（＝第一のターゲットのサーバ）にメールサーバ機能を構築することで、詐欺メールの自動送信システムを作ってしまうのだ。サーバそのものをいじってしまい、**詐欺メールにウイルスなどを添付するわけではないので、ウイルス対策ソフトなどで検知することが難しい。**

西アフリカでは、**技術的習熟度の低いサイバー犯罪者が圧倒的に多い**のだが、そんな彼らでも、20ドルから１００ドル程度の**手頃な価格で提供されている既製品のマルウェアを用いることで、簡単に不正な侵入ができてしまう。**万が一、使い方が分からなくても、ハウツーガイドを提供するオンラインコミュニティもあるので、取り扱いも簡単だ。

西アフリカの状況を見れば分かるように、サイバー犯罪者が必ずしも高いハッキングの能力を持ち合わせているわけではないのだ。しかし、無料もしくは低価格のツールやサービスなどを巧みに組み合わせることで、**非常に〝高い費用対効果〟で〝驚異的な収益〟をあげることに成功している。**

いや、それどころではない。今や、メールやウェブサービスなどを使いこなすことができれば、**高いハッキングの能力を持ち合わせていなくても、サイバー犯罪を犯すことができる時代となっている。**

現在のこのような状況を、ツルハシ片手に金の採掘者が殺到した「ゴールドラッシュの再来」と呼ぶ人もいる。

麻薬の密輸でもハッキングが活用されている

さて、もしあなたが麻薬を密輸することになったら、どのような方法を考えるだろうか？

映画などでは、食品用ラップフィルムで巻いた麻薬の樹脂を飲み込んで飛行機に乗ったり、スーツケースの内張りをくり抜いてそこに隠したり、といった場面を見ることがある。

しかし現代は、そこからかなり進んでいる。現実の世界では、麻薬の密輸でもハッキングが活用されているのだ。

大胆にも、物流システムをハッキングすることで、白昼堂々と、南米の生産地から西アフリカを経由し、顧客のいる欧州市場に、安全かつ確実にお届けすることに成功している。

話は少し遡（さかのぼ）るが、2001年以降、南米の麻薬カルテルは、欧州に活路を見出す必要に迫られた。というのも、同年9月11日に米国で発生した同時多発テロを受けて、45日後には米国愛国者法が成立し、そのために「ドル」取引の全てが米国政府によって監視されるようになり、麻薬カルテルによる〝売り上げのマネーロンダリング〟が難しくなったためである。そのせいで、これまでの一般的な商流であった「南米の生産地から、カリブ海を経て対岸の米国に届ける」という取引が困難になってしまったのである。

時を同じくして2002年1月1日から、欧州では単一通貨として「ユーロ」の流通が始まったのだが、これが後押しとなった。市場は「米国」から「欧州」へ、麻薬売買の基軸通貨は「ドル」から「ユーロ」へと移り変わった。

その結果、輸送ルートがこれまでの4倍以上の距離に延び、麻薬カルテルにとっては、途中で見つかってしまう危険性など、事業上のリスクも高くなってしまった。

そこで編み出したのが、従来の方法に加えて「ハッキングを活用する手法」だ。

説明しよう。彼らは、物流システムへの不正な侵入を行い、データの改ざんを行ってしまう。すると、本来であれば存在しているお届け物（麻薬）も、存在しないものへと変えてしまうことができる。つまり、〝透明人間〟になって南米から欧州へと移動してしまうのだ。

といっても、お届け物に足が生えて勝手に歩いていくわけがない。輸送のドライバーは「本部から指示のあったとおり、通常の配送業務をいつものように行っている」と思っているのだが、配送データの改ざんによって、いつの間にか麻薬カルテルの思い通りに荷物を運ばされている、というわけだ。

こうすれば、敵対組織や悪徳警官にお届け物が横取りされる心配も減るし、途中の検問で発見される可能性も減らすことができる。

ネット通販で買い物をしたことがある人は見たことがあるかもしれないが、物流会社のウェブサイトに宅配便の伝票番号を入力すると、分刻みで物流拠点の通過状況を知ることができる。非常に便利なので、活用している人も多いのではないだろうか。

これが海外からの商品であれば、加えて、空港に到着した時間、検査を受けた時間、飛行機に積み込まれた時間、そして日本に到着して飛行機から降ろされた時間、税関を通過した時間、空港でトラックに積み込まれた時間なども表示される。それが小さな小包だったとしてもだ。

物流システムでは、詳細かつ正確に積荷の状況が追跡されているところがミソである。本来あるはずのない「積荷」をシステム上から消したり存在させたりして、〝正規の荷物〟として〝正規の物流会社〟に運ばせてしまう。これで、**麻薬カルテルからその顧客へ、安全かつ確実に商品をお届けすることができてしまう。**

犯罪組織が優秀なハッカーを育成している

今、南米の犯罪組織では、積極的な人材育成に努めている。ストリートチルドレンも、「ギャングになって暴力事件を起こす」だけでなく、「**ハッカーになることで知能犯罪に手を染める」というキャリアを選ぶことができるようになった。犯罪組織が、子どもたちにハッキングの仕方を教え込んでいる**のだ。

日本でもだいぶ前から、サイバーセキュリティ人材（守るほう）の不足が叫ばれているが、サイバー犯罪を行う側にとっても、人材は喉から手が出るほど欲しいものであり、「安定した人材供給」は、緊急かつ重要な問題なのである。

以前、日本の出版社が運営しているウェブサイトが、突如大量の攻撃を受けていることを検知した。調べてみたところ、発信源は、ある国の情報系専門学校からだった。私が思うに、その日の授業で、「サイバー攻撃の実習」でも行われていたんじゃないだろうか。先生が教室に入ってきて、「それでは今日の実習ではこの会社を攻撃してみましょう」なんてことをやっていたとしたら、笑えない。

ちなみに、日本でも、中高生が不正アクセス禁止法違反の疑いで書類送検されることがある。ゲームのアカウントを乗っ取ってポイントを盗んでしまうとか、ソーシャルネットワークなどのアカウント自体を乗っ取ってイタズラをするなど、日本で多く見られるのは〝対個人〟へのサイバー犯罪行為だ。これは、南米などで貧困にあえぐ子どもたちがハッカーになっていくのとは様子が違う。

経済事情や、犯罪組織の暗躍など、背景となる社会環境によっても事情は変わってくるのは間違いない。

一斉に50万台の機械が乗っ取られ、アマゾンも大手SNSもお手上げ

2014年、米国で、女子高生のPCカメラをハッキングし、覗き見をしていた10代の

学生が逮捕された。ＰＣカメラとは、ノートパソコンのディスプレイ上部についているインターネットカメラのことで、テレビ電話の時などに利用する。

最近、**ＰＣやスマホのカメラがハッキングされる事例が増えており、**フェイスブックのＣＥＯである**マーク・ザッカーバーグ氏のＰＣカメラには、目隠し用のテープが貼られているということが**２０１６年に話題となった。

しかし、カメラを乗っ取る者は、覗き見だけが目的なのだろうか？

２０１６年米国で、通販サイトのアマゾンや、動画配信サイトのネットフリックスはじめ、ツイッター、スポーティファイ、ペイパルなどのサービスが、突如として利用できなくなる事件が発生した。

これは、各社が利用しているＤＮＳサービスを提供しているダインという会社が、６時間以上にわたって「ＤＤｏＳ（ディードス）攻撃」を受けたため、同社のサービスが停止してしまったことが原因だった。ＤＮＳサービスというのは、インターネット上のどこにサーバがあるのかを示した住所録のようなサービスで、例えばあなたがブラウザに“amazon.co.jp”と入力すると該当する画面が現れるが、そのサーバに導いてくれるのがＤＮＳサービスである。

例えば、「東京タワー」に行きたい場合、緯度と経度で示すことができれば(ちなみに国土地理院地図では、東京タワーは、緯度35・657964、経度139・745384となる)、宇宙からでも東京タワーを見つけることができてしまう——というようなイメージだ。

つまり、あなたを目的のサーバまで道案内してくれるためのサービスが、サイバー攻撃を受けたために機能しなくなってしまったのが、この事件だ。アマゾンなどのサーバが直接的に攻撃を受けたわけではない。

この時のDDoS攻撃では、インターネットに繋がった50万台の機器が、一斉にダインへのアクセスを集中させ、ダインのサーバをダウンさせてしまった。

この事件で発生した総通信量(トラフィック量)は正式に公表されていないが、直前に同様の手口で行われた事件から推測するに、620ギガビット/秒(Gbps)から1200ギガビット/秒(Gbps)の間、もしくはそれ以上の規模での攻撃を受けたのではないかと言われている。これは、それまで「史上最大のDDoS攻撃」と言われていたものの2倍〜3倍程度の規模である。

しかしながら、多くの人にとってあまり実感の湧かない単位であり数字であることは間違いない。そこで、身近な数字と比較してみよう。

　2016年の総務省の発表によると、モバイル端末による月間のダウンロードトラフィックは約1100ギガビット／秒（Gbps）とのことである。つまり、北海道から沖縄まで、日本中の携帯電話での通信によるトラフィック量が1100ギガビット／秒（Gbps）ということだ。

　ダインの事件は、日本の全携帯電話の総トラフィック量に匹敵する量のアクセスが、1社のサーバに対して6時間以上も集中して行われたことになる。ナイアガラの滝で、滝行を行うようなものだ。とても耐えられない。

　ではこの時、ダイン社を襲った50万台の機器とは、いったい何だったのだろうか？

　なんと、この時、インターネットカメラやネットワーク対応のビデオレコーダーなど50万台の機器が、何者かに乗っ取られて遠隔操作され、一斉に攻めてきていたというのである！　つい私は、ゾンビ映画の中で、ゾンビ化した街の人たちが一斉に襲ってくる場面をイメージしてしまった。2010年に公開されたロバート・ダウニーJr.主演の映画「アイアンマン2」では、大量のロボットが主人公のライバル企業によってハッキングされて乗っ取られ、一斉に攻撃を仕掛けてくる場面があるが、まさしくそのような状態である。

悪魔の遠隔操作は、こうして起こる

このように、パソコンや機器が何者かに乗っ取られて遠隔操作される状態になることを「ボット化」とも言う。

このダインの事件で「ボット化」させられてしまった機器には、共通点があった。「ミライ・Mirai」というマルウェアによってボット化されていたのだ。このマルウェアは、Linux（リナックス）という名前のOS（オーエス・Operating System）で動作している機器に感染する。

ちなみに、OSとは、パソコンや各種機器を管理・制御するためのソフトウェアのことで、パソコンであればWindowsやMac OS、スマホであればAndroidやiOSもOSであり、サーバ向けとしては前述のLinuxやWindows Serverが多く普及している。日本発のOSとしては、東京大学教授だった坂村健先生が中心となり開発されたTRON（トロン）といったものもある。

この「ミライ」というマルウェアのソースコードは、この事件が発生する直前に、突如何者かによって公開されていた。

ということで、ボット化してしまった流れを解説してみよう。

まず、

①このマルウェアは、Linuxで動作するインターネットカメラやビデオレコーダーなどの機器をインターネット上から探し出すことができる。この機能を使って、Linuxで動作する機器を探し出した。

次に、

②見つけ出した機器に対して、マルウェアは複数のＩＤとパスワードの組み合わせを試行し、機器への侵入を試みる。

――ここで驚くべきことは、このマルウェアにもともと用意されていたＩＤとパスワードの組み合わせは、たった60パターンだったということである。このマルウェアのように、あらかじめ用意されたリストに基づいて侵入を試みる攻撃のことを「リスト型攻撃」と呼ぶが、人がパスワードを決める時に選ぶフレーズは案外単純なので、リスト型攻撃は、成功しやすい攻撃手法の一つである。例えば、パスワードをそのまま「password」にしてしまうとか、少し工夫して「p@ssword」にしてしまっているというのは、多々見られるパターンだ。この事件でも、不幸な50万台は、あらかじめ用意された60パターンのいずれかに該当する組み合わせであったがゆえに、不正な侵入を許し、乗っ取られてしまった。

横浜国立大学准教授の吉岡克成先生の調査によると、2016年時点で、世界中130万もの送信元から、乗っ取られた機器による攻撃が行われている。

そして、次の段階。

③乗っ取られた膨大な数の機器は、〝何者か〟が攻撃の命令を下すまでは何事もなかったかのように振る舞っている（＝動作している）。ところが、命令が下された瞬間に〝サイバー犯罪の代理人〟として、脅威の存在へと変貌する。ちなみに、これらの機器の〝所有者〟も、同時にサイバー犯罪の片棒を担いでいる状態となっている。

このような一連の攻撃を受けた〝被害者〟には、はたして命令を下した真犯人の姿が見えるのだろうか……？

否。目の前にあるのは、乗っ取られて勝手に攻撃を仕掛けている〝機器〟の姿だけなのだ。

同様の手口は、2016年夏に開催されたリオ五輪の際にも見られた。

ブラジル国内では開催の数ヶ月前から、〝インターネットに繋がった機器を乗っ取るマルウェア〟による感染が活発になり始めた。オリンピック会期中にＤＤｏＳ攻撃が発生したのだが、これは約540ギガビット／秒（Gbps）の威力を持っていた。このＤＤｏＳ

攻撃も、ボット化された機器によるものだったと、米国のセキュリティ企業・アーバーネットワークスが調査結果を報告している。

２０２０年に東京でのオリンピック開催が決まっている**日本でも、〝何者か〟からの攻撃命令を静かに待っている〝サイバー兵器〟が、今も着々と増え続けているのは間違いない。**

「盗難防止装置取付車」のステッカーが付いている車ほど盗みやすい!?

２０００年前後に、当時のトヨタ・セルシオ（現在のレクサスＬＳ）や日産・スカイラインＧＴ－Ｒ（現在の日産ＧＴ－Ｒ）といった高額な日本車が盗まれる事件が頻発した。盗まれた自動車には盗難防止装置が取り付けられているものが多かったにもかかわらずだ。なぜ、盗難を防ぐことができなかったのだろうか？

その当時、覚えている方もいると思うが、盗難防止装置が取り付けられている自動車には、リアウインドウに「盗難防止装置取付車」というステッカーが貼られていた。自動車窃盗団にとったら、「ステッカーのない自動車を選んで盗めば、警報音がけたたましく鳴り響く心配はない」というありがたい印だったわけだが、この盗難事件の時は、ステッカーの貼られている、つまり盗難防止装置の取り付けられている自動車も、積極的に盗まれていた。なぜこのようなことが起こったのだろうか？

まず、「盗難防止装置取付車」ステッカーについて考えてみたい。わざわざこのステッカーを自動車に貼ることの理由の一つとして、「（この車を盗ませないようにする）抑止力」がある。ちなみに、抑止力と同じ意味で使われる表現として **"Theater of Security"（見せるセキュリティ）** という言い方がある。

例えば、欧米でテロが発生すると、武装した警察官が街角に立つ光景を見ることが増えるが、これは、テロリストと街中で銃撃戦となることを望んでいるわけではなく、テロリストに対する抑止力効果を狙ったものである。

しかし、このような方法は、セキュリティ対策としては紙一重の危うさを抱えている。「盗難防止装置取付車」ステッカーは、盗難防止装置を購入すると付属品として同梱されている。そのため、A社の盗難防止装置を購入するとA社の作ったステッカーが付いてくるし、B社の盗難防止装置であればB社のステッカー、C社などはご丁寧にメーカーのロゴまで書いてある。

自動車窃盗犯は「A社の盗難防止装置なら、この方法で車のドアを開ければ警報音が鳴らない」とか、「B社の盗難防止装置であれば、この配線を切断することで警報音が鳴らない」といったことをあらかじめ知っている。そもそも盗難防止装置をハッキングしてその手法を研究しているわけだから、あとは貼られているステッカーを見て手口を使い分ければ良いだけだ。

言い換えれば、本来は「抑止力」として掲示されていたステッカーが、「この車はこの方法で盗んでください」と書いてあるようにも読めたことだろう。

また、盗難防止装置を取り付けていない自動車でも、カー用品店に行けば、「盗難防止装置取付車」ステッカーだけを数百円で購入することもできた。もはやこのステッカーは「ご自由にお持ちください」と書いてあるように読めたのではないだろうか。

現代は、自動車窃盗団の黄金時代！

それでは、現在のサイバーセキュリティはどうなのだろうか。

主に企業が提供する商用のウェブサイトにおいては、米国のセキュリティ企業・シマンテックの「ノートン・セキュアドシール（旧ベリサイン）」のロゴを掲げているのを見かけることが多い。これは、利用者に安心してインターネットサービスを利用してもらうために、「このウェブサイトではデータを暗号化していますよ」ということを示す〝印〟である。

そして、それ以上の踏み込んだ対策状況については明記していないウェブサイトがほとんどだ。例えば、「このサイトでは、A社のファイアウォールを使っています」とか、「B社の製品によって、セキュリティ対策は万全です」なんて必要以上に謳っているウェブサイトというものを見かけることはない。

これは、セキュリティ対策の面から見ると、非常に前向きに評価できる。もし、そのようなことを明記した日には、ハッカーに付け入る隙を与えてしまうことになるからだ。

だからといって、**「どんなセキュリティ対策を行っているのかを明記さえしなければ、安心なのか」**というと、そうでもない。あなたの脆くて弱い部分を探し出すことは、さほど難しいことではないからだ。

このことについては、後ほど第4章（P184〜「ハッカーが『どこ』を狙うか。ハッカーの心理」）でさらに掘り下げていく。

さて、再び、自動車窃盗団の話に戻ろう。

今、自動車窃盗団にとって、かつてなかったほどの黄金時代が訪れようとしている。もはや、ピッキングでドアをこじ開け、警報音が鳴らないよう慎重に盗難防止装置の配線を切断し、セルモーターの配線をショートさせてエンジンをかけ、1台ずつ自動車を盗み出す――といった手法は古典的だ。こんな手法はなくなってしまうほどのパラダイムシフトが、現在起きているのだ。

自動車業界で、今起きている大きな変革とはいかなるものか、説明しよう。

テレコミュニケーション（Telecommunication・通信）とインフォマティクス（Informatics・情報処理）の造語で「テレマティクス（Telematics）」とも呼ばれているが、**自動車とインターネットとの融合が急速に進んでいる**のである。

米国の自動車メーカー、フォード社のフォードＧＴという自動車があるのだが、この車を制御するためのコンピュータのコードは、なんと１０００万行にもおよぶという。これがいかにすごいものであるかを日本のシステム開発業界独特の表現で説明すると、単純計算で約「６０００人月（にんげつ）」の作業量が必要なシステムだと言える。つまり、このフォードＧＴの制御システムを開発するためには、２００人がかりで30ヶ月を要する、という計算である。ちなみに、宇宙に行けるスペースシャトルを制御しているコードが、このほぼ2倍だ。たった2倍で宇宙まで行けるのである。

英国王室ご用達でもある英国の伝統的な高級車メーカー、ベントレーのコンチネンタルGTという自動車は、製造作業の多くを熟練の職人さんが手作業で行っていくため、大量生産のラインで製造される自動車と比べると、製造に5倍〜6倍の時間を要する。

しかし、そのような自動車でもコンピュータ制御が進んでおり、コンピュータとセンサーやコンピュータ同士を接続するために、車体に張り巡らされる光ファイバーの総延長は3㎞を超えているという。全長4・8mの車体において、だ。

また、ドイツの自動車メーカーBMWが2015年に出荷した10万台（全世界に出荷した5%にあたる）は、既に何かしらの方法でインターネットに繋がり、自動車の所有者は様々なサービスを利用することで、利便性を享受できている。

米国では、2021年に販売される自動車の半分以上が、車両間通信技術を搭載すると予想されている。自動車同士がより高度なシステムで通信し合えるようになるのだ。

今の自動車がこれだけIT に依存し、そしてインターネットなど外部ネットワークへの接続ができていることは、ハッカーにとっても魅力的なことである。

そのため、米国のコンサルティング会社・IOアクティブは、「Wi-FiやBluetoothを利用することで、自動車を遠隔操作し、物理的損害を与えることが可能である」と発表した。さらに、ハッキングした２０１４年式のジープチェロキーのハンドルを動かし、ブレーキを無効にし、エンジンを停止させるといった実演を、米国でのカンファレンスでしてみせた。これにより、２０１５年に米国の自動車メーカー、クライスラー（当時）は、同様のシステムを採用している１４０万台の自社の自動車をリコール対応することとなってしまった。

映画「ワイルド・スピード」の中で、サイバーテロリストが大量の自動車を遠隔操作して〝武器〟に換えてしまったことは37ページで書いたが、あれはもはや映画だけの話ではない。既にこのようなことができてしまう自動車が、あなたの近くを走っているのである。

そして、自動車窃盗団は、インターネットに繋がっている自動車（コネクテッドカーとも呼ぶ）のメンテナンス・システムに侵入することで、一括して自動車を乗っ取ることもできる。まさしく、自動車窃盗団にとっては黄金時代の到来だ。

米国や欧州では、自動車に関しても、今後はセキュリティ対策を義務化していくことを発表している。

スマホ一台で自動車を乗っ取れる

自動車のIT化といっても、なにも最新モデルだけの特権ではない。

ドイツにボッシュという自動車部品メーカーがある。世界中の多くの自動車会社が、同社の部品を用いて自動車を製造している。まさしく世界最大の自動車部品メーカーだ。2015年度の売り上げでは、業界2位のコンチネンタルタイヤやデンソーなどの2倍以上の規模という、ダントツのトップである。

このボッシュが、2016年に、自分の自動車の状態をスマホの画面上で確認できる端末を発売した。69・90ユーロ（およそ8500円）の端末なのだが、これを自動車のOBD（On-board diagnostics・自己故障診断）コネクタに差し込み、Androidもしくは iPhone用の専用アプリをダウンロードすれば使える。

OBDコネクタと聞いてもあまりピンとこないかもしれないが、例えばトヨタ車の場合だと1998年頃以降に発売されたほとんどの自動車に搭載されており、既に普及し始めてから20年ほど経っている。

車検やメンテナンスの際に、専用のコンピュータを自動車に接続することで故障箇所を調べたりするのだが、その時のコネクタとして利用されているものであり、設置されているのは運転席の足元にあるパネルの中など、普段私たちの目につかない場所である。

ちなみに日本車の場合、自主規制で180㎞/hまでしか出すことができないが、サーキットなどで走行する人の中には、このOBDコネクタにコンピュータを接続し、自動車を制御しているコンピュータの設定を書き換えることで、180㎞/h以上のスピードを出し続けられるようにする人もいる。

このボッシュ製の端末とスマホアプリはBluetoothによって接続され、速度や燃費などをリアルタイムでスマホの画面上に表示することができる。万が一、自動車が故障した場合には、その原因はもちろん、最寄りの修理工場を表示する機能などもある。旧型の自動車でも、OBDコネクタのある自動車であれば、最新モデルに搭載されているような機能を利用できるというわけだ。

この端末によって、運送業の事業者は、燃費の改善や安全な運行のための業務上重要なデータやアドバイスを得ることができる。もちろん、個人が自家用車で活用することも可能だ。

しかし、2017年になって、イスラエルの自動車関連サイバーセキュリティ企業・アルグスの研究によって、この製品のセキュリティ上の欠陥が発見された。

「この端末があると、なんと**スマホで自動車を乗っ取れる**」という重大な欠陥だったのである。これに、ボッシュは対処することになった。

いったいどんな方法で「乗っ取れる」のか、簡単に説明しよう。

まずは、

①ターゲットの車に、スマホからのBluetoothの電波が届く範囲まで近付く。

日本の携帯電話で使用されているBluetoothは10mくらいまでしか電波が飛ばないようになっているものがほとんどであるが、製品によっては100m先まで電波が届くものもある。高速道路を100km/hで走行する際には、前走車との車間距離を100m空けるよう推奨されている。ということは、ターゲットとする車と、前後もしくは左右にしばらく並走することができれば、走行中の自動車に対してもBluetoothの電波が届くことになる。

次に、

②電波の届く通信範囲内に入ることができたら、OBDコネクタに接続された端末への接続を試みる。

この際、本人認証のためにPINコード（暗証番号）を聞かれるので、ブルートフォース・アタックという手法を用いて、PINコードを探り出す。

「ブルートフォース・アタック」などと言われてしまうと大層な攻撃のように思えてしまうが、何のことはない。直訳すると「力ずく攻撃」という意味で、読んで字のごとく、侵入が成功するまでひたすら暗証番号を変えながら試し続ける攻撃手法のことである。前述のインターネットカメラをハッキングするマルウェア「ミライ」では、フレーズごとに試し続ける「リスト型攻撃」を用いていたが、「ブルートフォース・アタック」の場合は、1文字ずつ文字を変えて試し続ける手法であり、より広範なシステムをターゲットにできる。

古典的な手法ではあるが確実性も高く、一定回数以上間違えるとロックされるようなシステムでない限り、非常に有効性の高い手法であり、ハッカーにも重宝されている。

数分でPINコードの解析が完了すると、端末への接続が完了する。

ちなみに、今のスマホくらいの性能があれば、8桁のPINコード（1億パターン）は10秒もあれば解析できてしまうものなのだ。

そしてラストステップ。

③ここまできたら、あとは、その接続された端末を通して、自動車を制御しているコンピュータに対し、悪意のある操作メッセージを送り込んでやればよい。

これで、あなたは走行中の自動車に侵入し、遠隔からエンジンを停止させることも容易(たやす)くできてしまうのである。

飛行機をハイジャックしやすいシステム環境が整った!

少し遡るが、2013年に、スペイン人セキュリティ技術者のH氏(私の友人である!)が、「航空機のシステムに侵入し乗っ取ることのできる携帯アプリ」を開発したことが報道され、世界を驚かせた。

今の時代、乗客を装ったテロリストが航空機と運命を共にしなくても、ネットワークに繋がった端末さえあれば、同じようなこと、もしくはそれ以上のことができてしまうのである。

彼の名誉のために言うと、H氏は、現在は〝正義のホワイトハッカー〟として、航空機メーカーに対してセキュリティ向上のためのコンサルティングを行っている。また、2014年に東南アジアの飛行機が突如消息を絶った時には、ハッキングされた可能性も考えたFBIに対して、捜査協力も行っている。

話を戻すが、**航空機というのは、新旧あらゆるシステムが相互に接続しているため、比**

較的ハッキングを行いやすい。

現在、日本の民間航空会社では保有していないが、ボーイング747型機は1970年に就航して以来、世界の空を今でも現役として飛び続けている。2018年にボーイング777型機にシフトしてしまうまでは、日本の政府専用機もボーイング747型機である。かたや、同じくボーイング社からは最新鋭の787型機が2011年より就航している。世界中に4万4000の新旧空港が存在するが、これだけの新旧の空港に新旧の航空機が乗り入れているわけだ。空港や航空機に使用されるシステムにも新旧の仕様が混在し、その巧妙で複雑なやりとりが一つの航空インフラを構築している。

この、**新旧の繋ぎ目に、セキュリティ面での弱さが出てくることがある**のだ。

建築物でも、増築を繰り返すことで、構造物の強度や素材の違いなどから境界部分の強度が変化する場合がある。最初に雨漏りが始まるのは〝繋ぎ目〟の部分なのである。

セキュリティ重視すると不便に、利便性重視するとセキュリティが甘くなる

このあたりで、セキュリティ対策についても考えてみたいと思う。ここではDES暗号化に対するAES暗号化の優位性……などということについて論じるつもりはない（読者

のみなさん、分からなくて大丈夫です！）。

身近なところで、ＡＴＭの暗証番号について考えてみよう。

海外のＡＴＭでは暗証番号の桁数が5桁や6桁というところもあるが、日本の場合は4桁である。4桁ということは、1万通りのパターンがあるということだ（10×10×10×10）。83ページで「ブルートフォース・アタック」という攻撃手法を紹介したが、０００0から9999までを一つずつ数字を変えながら1万回試してみれば、どこかで暗証番号が分かってしまうということになる。

であれば、4桁を8桁に増やすことができれば、1億通りのパターンができてしまうので、暗証番号を探すことが1万倍難しくなるというわけだ。とはいえ、一つずつ試し始めて最初のほうで正しい暗証番号にたどり着ければ、実際には1億回も試す必要はないので、あくまでも理論上の話だが。

何を言いたいのかというと、セキュリティを高めたいのであれば4桁よりも8桁、むしろ100桁、1000桁などにしてしまったほうが良い。

では、あなたが実際にＡＴＭを利用する場面を思い浮かべてみよう。

現在使われている携帯電話の番号が11桁なので、8桁や12桁くらいであれば、覚えるのも何ということはないだろう。しかし、それ以上の桁数となったら、おそらく気軽に覚えられるものではなくなる。当然ながら桁数が増えるごとに覚えるのが難しくなっていく。日常的に使うものなのに、入力すること自体が面倒だし、ATMのタッチパネルの反応が悪かった、なんて日には、最悪である。

つまり、「〝セキュリティ〟と〝利便性〟は、トレードオフの関係にある」ということが言える。

セキュリティを高め過ぎると使いづらくなり、使いやすさを追求しすぎるとセキュリティが低くなる。暗証番号も、1桁ならとても使いやすいだろうが、これではもはやセキュリティとしての意味合いはないに等しい。逆に、アマゾンで本を1冊買うために、パスワードを10回も聞かれたり、卒業した小学校の名前を尋ねられたりしたら、買う気は失せるだろう。

セキュリティと利便性を両立させる方法の一つとして、指紋認証や顔認証といった〝個人の身体的特徴〟に紐づく生体認証を用いたセキュリティ対策もある。

個人の身体的特徴は盗みづらいということでは強固なのだが、これはこれで安心できない。万が一、この〝データ〟が盗まれた場合に、簡単に指紋や顔を変えることができないので、かえって守るのが難しくなる。実際、３ｍ離れたところから撮影した写真に写るピースサインの指から指紋情報を抽出できることが、国立情報学研究所の研究でも分かっており、〝なりすまし〟に対する懸念がある。もし**指紋情報が盗まれたら、あなたは指紋を変えなくてはならない！**

これらの技術には、複製された指紋であることを見分ける技術や、静脈などを感知し「今まさに生きている本人が認証装置と向き合っている」ことを確認する技術などを、複合的に使っていかなくてはならないだろう。

現在普及しているものでは、**「多要素認証」という方法が、利用者本人かどうかを確認するための比較的有効な手段**ではある。しかし、あらゆる場面で利便性が高いわけではない。

セキュリティがしっかりしていたための不幸……。実際に起こりうるケース

あなたは、これからロンドンに住んでいる友人のもとに東京から会いに行くところだとしよう。中東系の航空会社は比較的安いので、今回はトルコ経由で行くことにする。成田空港から12時間半のフライトを経て、早朝のイスタンブール・アタテュルク国際空港に到

着する。あなたは、今回の旅行に出発する前までに片付けることができなかった仕事が気になって仕方がない。ちょうど日本は朝の11時くらいなので、もしかしたらクライアントからのメールが届いているかもしれない。次のフライトまで3時間あることを確認したあなたは、日本から持ってきたスマホを取り出し、Gmailアプリでメールの確認をする。

ここで、一つ問題が発生する。普段、東京にいるはずのあなたのGmailアカウントに、トルコから何者かがログインしようとしていることを、グーグルのセキュリティシステムが不審な動きとして検知した。そのため、パスワードの入力を求めてくる。あなたは暗記していたパスワードを入力し、あなたがあなた本人であることを証明することで、いつも通りログインしようとする。すると次に、Gmailの2段階認証プロセスが、認証コードの入力を求めてきた。ここで入力する認証コードとは、30秒だけ有効な6桁のパスワードなのだが、これはあなたがあらかじめタブレットにインストールしておいたGoogle Authenticatorというアプリに表示されるので、その数字を入力すれば良い。

しかし、ここで重大な問題が発生する。安全上の理由から、２０１7年3月より、トルコ発イギリス行きの便の機内にノートパソコンやタブレットを持ち込むことができなくなっている（本書執筆当時）。そのため、あなたは成田空港のチェックイン・カウンターでタブレットをスーツケースに入れて預けてしまったのだ（16㎝×9・3㎝より大きな機器は機内に持ち込めないのだが、〝大きいほうのiPhone〟であるiPhone7 Plusで15・8㎝×7・8㎝。ということはつまり、スマホ以外はほぼ機内に持ち込めないことになる）。万が一、Google Authenticatorが使えなかった時に使おうとバックアップコードをメモした紙も、なぜか今回は、観光ガイドと一緒にスーツケースに入れてしまっている。

あなたは、あなた本人であることを証明することができずに、イスタンブールでGmailにログインすることができなかった。そして、落ち着かないまま残りの待ち時間を過ごし、4時間のフライトを経てようやくロンドン・ヒースロー空港に到着。ここでは入国審査の長い行列を経て、ようやくスーツケースをピックアップし、未読メールの溜まったGmailの画面にようやくたどり着く。あなたが成田空港で最後にメールチェックをしてから24時間近くも経っていた……。

本当にどうしようもなくなった時のセキュリティ対策、最後の手段

前述のストーリーは、ものすごく特殊な事例のように思われるかもしれないが、通信会社や金融機関は、不正利用に対して常に厳しく目を光らせている。ロンドン・イスタンブ

ール・東京を飛び回らなくても、あなたがいつもと異なる行動を取った際に、突如として
このような事態に陥ることは往々にしてある。

10年近く前のことであるが、ニューヨークの自宅から、出張でロサンゼルスを訪れた日の夕方、空港で借りたレンタカーをガソリンスタンドで満タンにしてからホテルに戻った。その時、一緒に購入したコーラがきっかけで、私は早朝に起こされることになる。

翌朝5時に、当時使用していたブラックベリーの呼び出し音が鳴った。ブラックベリーとは、カナダのIT企業が開発したセキュリティ機能の強化された携帯電話のことで、当時のニューヨークの金融機関やIT企業の従業員は、ほぼ間違いなくこの携帯電話を利用していた。当時、日本でも一部の外資系企業従業員は好んで利用していたようだ。

ニューヨークとロサンゼルスは、同じ国内とはいえ3時間の時差があるので、出発する前に、スタッフやビジネスパートナーたちに「午前中は私に電話を掛けないでほしい」と伝えてから出発していた。

にもかかわらず、朝5時の電話である。応えると、電話口の相手は、ニューヨークにある大手金融機関の従業員であることを名乗り、次のように告げた。

「あなたのカードが不正利用されています！　私たちは安全のために、あなたのカードが

利用できないよう利用を停止しました」

「何があったのですか？」と私が尋ねると、

「ニューヨークにいるはずのあなたのカードを使って、何者かがロサンゼルスでコーラを1本購入したんです！」

「……それは私です」

その後、いくつかの質問に答えることで、停止されてしまったカードの利用は再開した。

数日前にも、自宅から3ブロック先にあるデュアンリード（ニューヨークで多く展開しているドラッグストア）でコーラを購入しているので、コーラを購入したこと自体が〝不自然な行動〟と判断された可能性は低い。

どのような基準に基づいて不正利用の判断をしているのかは開示されないため（開示してしまうと、その方法を避ければ不正利用は成功してしまう）、憶測ではあるが、当時の西海岸では、盗まれたカード情報を用いて少額決済を行うパターンが、何らかの犯罪行為と結びついていたのではないかと考えられる。

このように、〝通常の利用〟なのか、それとも〝不正な利用〟なのかを判断する基準を「閾値（しきいち）」と呼ぶ。

この閾値の設定というのがセキュリティ対策においては非常に難しく、セキュリティ製品ごとの味付け（ポリシー）の違い、ひいては性能にまで影響を及ぼす。

この閾値を低くすれば、「誤って正常利用を止めてしまう」ことを減らせるが、「不正利用を見過ごす（フォルス・ネガティブ）」可能性は高くなる。逆に、閾値を高くしてしまうと、「不正利用を減らす」ことができるが、「正常利用までも止めてしまう（フォルス・ポジティブ）」可能性が高まる。

閾値の設定については、常に様々な状況を考慮に入れ、調整が繰り返されていかなくてはならないが、**このような作業自体、企業にとっての負担はかなり大きいものであり、これが、セキュリティ対策に及び腰となってしまう要因の一つ**となっている。

なぜか表沙汰にはなっていないが、1年前に、ある大手小売業者で不正な侵入事件があり、私に意見を求められたことがある。この大手小売業者は多くの顧客情報を保持していることもあり、システム開発に合わせて、開発会社の推奨するセキュリティ製品も導入していた。しかし、そのセキュリティ製品を推奨したシステム開発会社自体が、その製品に設定や調整が必要であるということを認識しておらず、購入した時の〝最も閾値が低い状態〟のままで使用していたのだった。本来であれば、使用しながら、問題がないことを確認しつつ、徐々にセキュリティを高めていく必要があったのに、だ。

２０１１年に、ある重工業社が海外からの不正な侵入を受け、戦車など軍事関連の設計図を盗まれたことがある。この時、事件の後に驚くほど大胆な対策が取られた。

なんとこの会社の研究室にある全てのパソコンを、インターネットから切断してしまったのだ。インターネットからの攻撃を受けたくなければ、インターネットに繋がなければ良いというわけだ。交通事故に遭いたくなければ、外を出歩かなければ良い。これこそまさしく「最高の」セキュリティ対策である。

少なくとも、当時はそのように考えることもできた。……ただし、当時は、であるが。

第3章 サイバー犯罪ビジネスのテクニック

〈マーケットとして〉日本市場の魅力

第3章では、サイバー犯罪を、ビジネス的な側面から解説していく。

日本はIT環境が整っているため、日本をターゲットにハッキングを行おうとした時の参入障壁も低く、コストも「安い」。

しかも、人々のセキュリティ意識はまだまだ低く、対策も十分ではないので、狙うなら「手っ取り早い」。

そして、その先には、金融資産や知的財産など「旨い」話も待っている。

つまり、**日本は「安い・早い・旨い」の魅力的なマーケット**だ。まるでファストフードのキャッチコピーのようであるが、**サイバー犯罪を犯す上で、あまりにも魅力的な市場で**ある。

それぞれ、詳しく見ていこう。

「安い」

総務省によると、2015年末時点でのインターネット人口の普及率は、83・0%。つまり、8割以上の日本人に、何かしらの方法を用いたインターネット経由でたどり着くことができる。

ちなみに、料金は、米国の半分くらいの金額で利用できるし、通信速度も、世界の上位10位以内に入るくらい速い。

サイバー犯罪を行うための大前提として、「インターネットに繋がっている」必要があるが、**日本であれば、その〝コスト〟を安く抑えられる。**

無差別に「フィッシングメール」（詳細については、第4章にて述べる）をバラまいたり、不特定多数のサーバへ侵入を試みたりすることができるのも、この環境が有利に作用しているからである。

「早い」

あなたの周りを見回してほしい。サイバー犯罪について、自身が被害に遭うという想定をしていないままITを利用している人が多いことだろう。「何を根拠にITを信用しているのか？」と問われて、答えられる人は少ない。

さらには、**実際に被害に遭っても気付かない**ことが多いのである。米国のセキュリティ企業ファイアアイの調査結果(2015年)によると、**被害に遭ったことに「外部から指摘されてはじめて気付く」**場合が、3件のうち2件だ。

2015年に経産省所管のIPA(情報処理推進機構・Information-technology Promotion Agency, Japan)が、企業向けに実施した調査では、「攻撃あったが被害なし」と「攻撃なし」と回答した企業が、合わせて8割を超えていた。

そんなはずはない。**世界中で、一日に3万サイトが不正侵入の被害に遭っている**のだ。サーバやインターネットに接続できる家電などは、インターネットの回線に接続すると、ものの数分で攻撃を受け始める。

日本では特にインターネットのコストが安いため、ハッカーは侵入できるサーバなどを常に探すことができる。まさに、〝ハッカー天国〟なのである。

「旨い」

米国の大手通信業者・ベライゾンによると、**不正侵入を行う動機の73%が金銭目的によるもの**である。

日本は、米国、中国に次いで世界第3位の名目GDPを誇り、経済的にも豊かな国である。ターゲットとして間違いなく「おいしい」。

また、不正侵入を行う動機の21%は、諜報活動を目的としている。政治的な目的によるものもあるが、**日本では、製造業の所有する知的財産などを狙うものも多い。**

知的財産に関しても、狙われる領域にトレンドがある。**「中国の五ヶ年計画で重点領域にあげられている産業は狙われやすい」**という説があり、実際、その説を裏付けるような事例も多い。

これらのことからも、**日本は「サイバー犯罪を収益事業化」させるための条件が整った魅力的な市場である**ということが見て取れる。

〈マネタイズ〉弱いところが狙われる――負の連鎖

自動車1台ができあがるまでに、いったいどのくらいの時間が掛かるか、ご存知だろうか?

世界で最も効率良く製造されているであろうトヨタ自動車では、1台につきおよそ17時間〜18時間掛かるらしい。

かたや、英国の自動車メーカーであるマクラーレンでは、1台ずつ手作業で組み上げることによって知られているが、車種によってはなんと８００時間を要することもあるそうだ。

同じく英国発祥の靴ブランドであるジョン・ロブでは、オーダーした1足ができあがるまでに50時間を要する。

もちろん同一車種同士での比較ではないし、工業化された環境で製造される製品と、伝統的な製法で職人が製造する製品とでは、単純に比較できないことは承知の上で、示す。

トヨタ自動車はなぜ、自動車同士で比較しても数十倍も早く、靴1足と比べても3分の1ほどの時間で自動車を組み上げることができてしまうのだろうか。

近年の工業製品では、共通して使う部品を「アッセンブリ」や「コンポーネント化」といって〝ひとまとめ〟にしておき、効率的に組み立てられるようになっているのだが、これも、製造の効率化に貢献している。

これは、カレーやシチューを作る時の固形のルーに似ている。

もちろん、スパイスなどを自ら独自の配分で調合して調理することも可能であるが、スパイスの配分や、下準備の作業が、〝固形のルー〟を使うことで簡略化できる。カレーのルーに、牛肉を入れればビーフカレー、鶏肉を入れればチキンカレー、それがシチューのルーになればシチューができあがる。固形のルーがあることによって、より手軽に、効率良く、安定した味を作ることができる。

ITの世界でも、このような開発の手法が取られている。

近年では、インターネットに接続できる家電の開発競争に伴い、**「コードライブラリ」という共通したプログラムの部品**を組み入れることで開発期間を短縮し、開発コストを削減することで、市場での競争力を高める努力がなされている。

しかし、万が一、コードライブラリにセキュリティ上の弱点が存在してしまうと、そのコードライブラリを用いて開発した製品にも、セキュリティ上の弱点が引き継がれてしまうという負の連鎖が起こってしまう。利用者が自ら設定したパスワードや使用方法ではなく、〝他人が作ったプログラムが抱える問題〟を、リスクとして抱えることになる。

「ワードプレス」などの、CMS（Contents Management System）と呼ばれる、簡単にウェブサイトを作れるツールやサービスがある。これらを用いて、自社のウェブサイトを作る企業も多い。これまではデザイナーでないと作れなかったような本格的なウェブサイトを簡単に作ることができるのだが、これはまるで、本格シェフの味を自宅でも味わえる「カレーのルー」のようなものだ。

しかし、CMSでもセキュリティ上の弱点が発見されることはあり、利用者はデザインに注意を払うのと同様、もしくはそれ以上に、適切な処置を行っていかなくてはならない。既に世界中のウェブサイトの4件に1件がCMSを用いているとさえ言われているが、2017年にワードプレスのセキュリティ上の弱点が公表された際には、なんと1週間で150万以上のサイトが改ざんされてしまった。公表の1週間前には弱点を修正するプログラムが配布されていたのに、だ。

また、最近では**「バックドア」と呼ばれる仕掛け**をあらかじめ仕込んだコードライブラリを、メーカーに提供する強者も出てきている。

この「バックドア」が仕掛けられたコードライブラリを用いて製品を開発してしまうと、この製品には、ハッカーがいつでも侵入できてしまう裏口――すなわち〝バックドア〟が設けられてしまうことになる。

同様に、一つでもセキュリティの弱いものがシステムを構築する中に存在してしまえば、その弱さが、システム全体に引き継がれてしまう、ということもある。

もし、取引先とのサプライチェーン・ネットワークに、一社でもセキュリティの弱い企業があれば、その企業を「踏み台」としてサプライチェーン・ネットワーク全体へと影響を及ぼしてしまうのをイメージしたら分かるだろうか。

サイバー犯罪を行うものは、それが〝収益事業〟である以上、費用対効果の最大化を求めているのだ。

米国のセキュリティ企業、パロアルトネットワークスが２０１６年にハッカーに対して行ったアンケートによると、**73％のハッカーは「侵入しやすいところから攻撃を行う」**と答えている。

つまり、何かしらの方法であらかじめ「バックドア」が仕掛けられている箇所があれば、そこから侵入し、後はそこから手を広げていけば良いし、システムに弱いところがあれば、まずはそこから侵入を試みることが、最も効率の良い方法である。負の連鎖は広がるのだ。

〈ターゲティング〉ＣＩＡ流ハッキング講座（基礎編）

ＣＩＡ（米国中央情報局）が諜報活動を行う時、まずはどのような方法で情報を収集しているのかご存知だろうか？

2013年にエドワード・スノーデン氏が、CIAの連携機関であるNSA（米国国家安全保障局）から内部文書を持ち出した。この時、世界中がこのニュースに騒然とした。スノーデン氏が持ち出した内部文書には、諜報活動の手法を示した職員向けの手引書も含まれているのだが、その手引書に記載されていた“**諜報活動の方法**”とは意外なものであったからだ。

なんと**「グーグル」で検索をするのだ！**

これは、私が言い間違えたわけでもなければ、あなたが読み間違えたわけでもない。

そう、あなたがいつも使っている、検索サイトの、あのグーグルのことだ。

実は、公開されている情報を情報源とする「オシント（OSINT・オープンソースインテリジェンス）」と呼ばれる方法は、グーグルが登場するよりも以前から、一般的な諜報活動の手法であった。そして、諜報活動で得られる情報の9割以上は「オシント」によって得られる。むしろ、**グーグルの登場は情報の検索性を高め、オシントの効率化を推し進めた**ということであろう。

では、スノーデン氏が持ち出した内部文書に記されていた方法の中から、**あなたがサイバー犯罪（もしくはその対策）に今すぐ使えるグーグル活用方法を一つ伝授する**こととしよう。5分後には、あなたもハッカーだ。

ここからは、もし手元にパソコンやスマホがあれば、実際に試しながら読み進めてみてほしい。

＊

あなたは（東京都）港区でイタリアンレストランを探しているとする。「食事に行くために」だ。まだ「サイバー犯罪のターゲットとして探している」わけではない。

その場合、グーグルの検索窓には「東京都港区　イタリアン」といった形でキーワードを入力することになるだろう。検索結果は無事表示されただろうか。

……これがいつも通りの検索方法だと思う。

ご存知の方もいると思うが、グーグルには「検索演算子」と呼ばれる便利な機能がある。この機能を検索キーワードに組み合わせることで検索結果を絞り込むことができる。

小難しい言葉かもしれないが、ひとまずは〝ターゲットの情報を得るために使える魔法のキーワード〟くらいに思っておいてもらえれば大丈夫だ。

続いて、「東京都港区　イタリアン　site:jp」と入力してみよう。すると、「東京都港区イタリアン」と検索した場合の結果とは異なる結果が表示されたのではないだろうか。「site:jp」という魔法のキーワードを追加することによって、ウェブサイトのアドレスが「.jp」で終わるウェブサイトだけが表示されるようになっているはずだ。

これを「site:com」とすれば、「.com」で終わるウェブサイトだけを表示できるし、「site:net」とすれば「.net」で終わるウェブサイトを表示することができる。

この**「site:」という魔法のキーワードを使えば、検索結果に表示されるウェブサイトのアドレスを指定して絞り込むことができる。**

ここで「東京都港区　イタリアン　site:tabelog.com」としてしまえば「食べログ」での検索結果だけに絞り込めるし、「東京都港区　イタリアン　site:gnavi.co.jp」としてしまえば「ぐるなび」での検索結果だけに絞り込むこともできるので、普段でも使える便利な方法だ。

では今度は、「東京都港区　イタリアン　filetype:pdf」と入力してみよう。さらに異なる検索結果が表示されたかと思う。ここではＰＤＦファイル形式のものが検索結果に表示されている。

これはインターネット上にあるファイルを探す時の魔法のキーワードだ。

レストランの地図やメニューなどをPDFファイルでウェブサイトからダウンロードできるようにしているお店もあるので、目的のファイルを直接探す場合に役に立つ。

もしワードで作成したファイルを探したければ「東京都港区　イタリアン　filetype:docx」、エクセルで作成したファイルなら「東京都港区　イタリアン　filetype:xlsx」としてしまえば、それぞれのファイルを直接探し出すことができる。

これも普段も使える便利な方法だ。

これで、あなたは、効率的にイタリアンレストランを検索できるようになった。

もし、東京都中央区で食べログに掲載されている中華レストランを探したいのであれば、検索窓には「東京都中央区　中華　site:tabelog.com」と入力すれば良い。

あなたはいつでもレストランの情報を見つけられる。

〈ターゲティング〉CIA流ハッキング講座（実践編）

それでは、いよいよ、諜報活動におけるグーグルの活用方法を見ていこう。

ポイントは、魔法のキーワードのほうではない。「東京都港区　イタリアン」と入力していた、いつもの検索キーワードのほうだ。

この部分に、あなたの求めているキーワードを入力する。例えば、これから不正な侵入を行おうとしているサーバのＩＤとパスワードを知りたいとしよう。

その場合は、「id password」が検索キーワードである。入力してみよう。

すると、「id」と「password」の二つのキーワードを含むウェブサイトが大量に表示される。これで目的は半分達成された。実はこの中に、あなたの求める情報が埋もれている。

ここからは、膨大な情報に埋もれているあなたの求める情報にたどり着くために、魔法のキーワードで選別してあげればよい。

早速やってみよう。

今度は「id password site:jp」と入力してみる。すると、「id」と「password」の二つのキーワードを含む「.jp」でアドレスが終わるウェブサイトに絞り込まれた。ゴールは間近だ。

最後にもう一度、魔法のキーワードを使ってみよう。

ここでは、検索結果をエクセルファイルだけに絞り込むことにする。

なぜエクセルファイルに絞り込むのか？

間抜けな管理者が、エクセルでＩＤとパスワードの一覧表を作り、それをサーバ上に保存している場合があるからだ。しかも、不特定多数が閲覧可能な公開設定のままで。

「id password site:jp filetype:xlsx」と入力してみよう。

これであなたは、ターゲットとするサーバのＩＤとパスワードに、極めて近付くことができた。

読んでいるだけではそんなことはないと思われるかもしれないが、実際に入力した方は、表示されたグーグルの検索結果に驚かれていることだろう。

実際、２０１４年には、愛知県の中部国際空港（通称、セントレア）と北海道の新千歳空港において、一般には知られることのない空港保安区域や職員通路など〝安全に関わる情報〟の含まれた平面図が、不特定多数によって閲覧可能な状態となっていた。また、前年には中央官庁の内部情報などが、不特定多数によって閲覧可能な状態となっていた。

スノーデン氏によってその手法が公開されて1年経っていても、である。

この方法は、**あなたのセキュリティ対策にも活用できる。**

「id password site:（あなたのアドレス）」と検索すれば、あなたやあなたの会社のサーバで不特定多数が閲覧可能な状態になっているＩＤやパスワードの情報がないかどうかを確認することができる。

もちろん組み合わせるべきキーワードも、「id」と「password」だけではない。「admin」や「userid」など、サーバへの侵入に必要なキーワードを組み合わせたり、組み替えたりする必要はある。また、エクセル２００７以前のバージョンでは「xlsx」ではなく「xls」とする必要があるし、必ずしも何でもエクセルで管理されているわけではない。

＊

このようにして、実際に諜報活動は、日夜行われている。

そして、実際にハッキングされてしまった81％のサーバは、盗まれたパスワードや弱いパスワードのいずれかを利用していたということが、ベライゾンの調査で分かっている。「123456」とか「qwerty」などは、もはや盗むほどのパスワードでもない。

なぜ「qwerty」なのかを知りたければ、今すぐパソコンのキーボードを見てみよう。

〈プロダクト〉サイバー攻撃の手法

〝地球表面の7割は「海」である。
身体の7割は「水」である。
そして、成功するサイバー犯罪の7割は「ハッキング」である。〟

（格言、作者不明）

ここでは、サイバー攻撃の手法を、専門用語を使わず、国民的アニメのような世界観で分かりやすくイメージしていただくことにしよう。

サイバー攻撃の分類にあたっては、分類の仕方や表現が様々であり、重複する項目もある。そこで、ここでは米国会計検査院（Government Accountability Office）の定義する分類に基づいて示すこととした。米国会計検査院では、将来的に業務や財政に対して危険性の高いハイリスク分野の調査も実施しているため、同院による分類定義が明確にされている。

表記順はＡＢＣ順にて列記する。

クロスサイト・リクエスト・フォージェリ（Cross-Site Request Forgeries・CSRFまたはXSRF）：

学校帰りに、ナカヅマは、ヤブサカ先生の庭にある柿の木から柿を盗む。

そこに偶然、カヅオくんがやってきたので、ナカヅマは「柿が盗まれた！」と叫んで逃げる。

慌てて出てきたヤブサカ先生は、そこに居合わせたカヅオくんのことを怒る。

悪いのはナカヅマだ。

クロスサイト・スクリプティング（Cross-Site Scripting・XSS）：
ササエさんは、パート先であるスーパーの店長の隙をついて無断で「偽レジ」を設置してしまう。店内にあるため、店員の誰もがいつも通り、ササエさんの設置した「偽レジ」で会計を行い、客もこの「偽レジ」の列に並んで支払う。
ところが、客が会計の際に使用したクレジットカードの情報は、ササエさんの元に「偽レジ」から無断で送信されていた。「偽レジ」から出てきたお釣りには、ササエさんの仕掛けた小銭型の盗聴器が含まれているのだが、客は気付いていない。

DoS攻撃（Denial of Service attack・ドス攻撃）：

短刀で戦うわけではない。

ノリズケさんは、会社帰りに立ち寄ったラーメン屋の店主と、些細なことからケンカになった。

そこでノリズケさんは会社の同僚に応援を求めると、同僚100人がカウンター8席のラーメン屋に押しかけてきた。

彼らはそこに、ただ居座っているだけである。しかし、本当にこのラーメン屋でラーメンを食べたかった人は入店できず、店主にとっては莫大な機会損失となり、ノリズケさんは営業妨害に成功した。

DDoS攻撃（Distributed Denial of Service attack・ディードス攻撃）：

ラーメン屋の店主は、覆面レスラーのファイアウォールさんを門番として雇い、ノリズケさんの会社の同僚を出禁（出入り禁止）にすることで対策を講じた。

そこでノリズケさんは、今度はインターネットを使って全国から仲間を募り、なんと1

万人で押しかけた。

ノリズケさんの会社の同僚を追い払うことしかできない覆面レスラーは、1万人の客を入店させてしまい、ラーメン屋の床はとうとう抜けてしまった。

店舗を立て直すまでは、営業再開できない。ノリズケさんはより大きな営業妨害に成功した。

ロジックボム(Logic Bomb)：

カヅオくんは、ナカヅマにされたイタズラへの仕返しを考えている。

ナカヅマの自転車を壊しても、裕福なナカヅマはすぐに新しい自転車を買ってもらえるだろう。

そこで、カヅオくんは決められた時間になるとデータや個人情報だけでなく、システム全体を吹き飛ばすロジックボムをナカヅマのパソコンに仕掛けることにした。

ロジックボムは何か特定のものを消失させるのではなく、全てを消し去る。カヅオくんはほくそ笑んだ。

パッシブ・ワイヤタッピング（Passive Wiretapping）：

三河屋のキタサンは、いつも爽やかにお酒を配達してくれる好青年だ。

しかし実は、キタサンは、カヅオくんの家を監視しているスパイだった。

セキュリティ意識の低いカヅオくんの家は、冷蔵庫にパソコンのパスワードをメモした紙が貼ってあった。

わざわざナミベイからパスワードを聞き出さなくても、日常の行動から必要な情報をキタサンは入手していた。

フィッシング（Phishing）：

ハナザワワさんの家は不動産業を営んでいる、近所でも有数の資産家である。

そのため、オレオレ詐欺の電話もたくさん掛かってくる。

最近では、フィッシングという呼び名のメールもたくさんやってくる。

万が一偽物のＵＲＬをクリックしてしまえば、とてもマズいことになってしまう。

SQLインジェクション(Structured Query Language Injection・エスキューエルインジェクション)：

ウナギさんは銀行を訪れるとATMに向かった。暗証番号を尋ねられると、ウナギさんは暗証番号の代わりに特別なキーワードを入力する。ATMは誤作動して、大量の現金を吐き出した。

さらに、ヤブサカ先生ら他の預金者たちの口座番号と暗証番号も、ATMから知ることができた。

トロイの木馬(Trojan Horse)：

カヅオくんはまたテストで0点を取ってしまった。家に帰ったら父のナミベイに怒られるかもしれない。

ナミベイは孫であるタラコちゃんのことは疑わない。そこで、カヅオくんはタラコちゃんを送り込んで様子を窺わせた。タラコちゃんの報告によると、どうやら今日はナミベイの機嫌が悪く、玄関に立ちはだかっているらしい。

そこで、タラコちゃんは台所の勝手口を開けてあげた。カヅオくんはナミベイに気付かれずに家に戻ることができ、九死に一生を得た。

ウイルス（Virus）：

カヅオくんは、悪友のナカヅマと一緒にイタズラを考えた。二人が作ったプログラムを開いてしまうと、パソコンのデータが勝手に削除されてしまうというイタズラだ。

二人はフィッシング詐欺の手法で、テストの模範解答を装ってクラスの全員に送ることにした。模範解答だと思ってこのプログラムを実行したクラスメートのパソコンからは、データが削除されてしまう。

ウォードライビング（War Driving）：

カヅオくんのペットのポチは、いつも闇雲に街を歩き回っているわけではない。首輪には強力なアンテナを内蔵しており、セキュリティ対策のなされていないWi－Fiを探していたのだ。

ポチが街を歩き回るのには理由があった。ポチがサイバー犯罪を行う際には、ここで見つけたWi-Fiを無断で使うことで、足が付きづらくするのである。

ワーム(Worm):

カヅオくんはナカヅマと一緒に新しいイタズラを考えた。

二人が作ったプログラムを開いてしまうと、パソコンのデータが勝手に削除されてしまうということだが、ウイルスとは少し違う。

プログラム自身が勝手に増殖し、クラスメートからクラスメートへと勝手に感染が広がって行く。瞬く間に真ん中分けの先生のクラスは全滅した。

メディアでの報道でもよく目にするこれらのキーワードは全て、「サイバー攻撃の手法」の名称である。これらについて、まずはそれぞれイメージを持ってもらいたいと思い、キャラクターを使って説明してみた。子どもだましと思うかもしれないが、実は、イメージを持ってもらうほうが、サイバー犯罪を考えるには有効なのだ。

なぜなら、技術面での具体的な方法というのは、常に変化している。ターゲットが使用するパソコンやスマホなどの仕様も、今と20年前とでは異なるため、当然だ。

それよりも、手法ごとのイメージや考え方が身についてさえいれば、具体的な方法は、その時々の技術に合わせて変化させていけば良い。

大事なのは、これらの〝発想〟を巧みに使い分ける想像力だ。

〈パッケージング〉ワンコインでハッキング

第2章で、西アフリカのサイバー犯罪者たちは必ずしも高いハッキング能力を持っているわけではないが、驚異的な収益をあげていると述べた。しかし、おそらく、彼らの全てが、前ページで紹介した手法の技術的な詳細について把握しているわけではない。いったい彼らがどのようにハッキングしているのか、説明しよう。

今や、ネット通販で買い物をするのと同じ感覚で、すぐにサイバー犯罪を行えるようになる〝ハッキングサービス〟が存在しているのだ。そこでは、前述したサイバー攻撃の技術を一つ一つ勉強する必要はない。**使いたい手法をメニューから選択するだけで良い**のである。

そのため、それぞれの攻撃手法のイメージを持ってさえいれば、あとは、「あなたがどのようなサイバー犯罪を犯したいのか」によって、用いる手法が見えてくる。

そして、メニューから希望の手法を選択し、利用料金を支払いさえすれば良い。

支払方法については、かつてはクレジットカード決済が主流であった。しかし、あなた本人名義のカードを使ってしまえば、万が一の場合に足が付いてしまう。ゆえに、以前はスキミングなどを行って、クレジットカードを第三者から盗んでくる必要があり、それを用いて支払いを行う必要があった。

しかし今は、よりスマートな支払方法がある。

ビットコインなどの仮想通貨だ。これで支払を行えるようになったため、匿名性が担保された状態での決済が可能となったのだ。ビットコインについては第4章（150ページ～『ビットコイン』などの仮想通貨が、サイバー犯罪の基軸通貨に」）で説明する。

まさしくワンコインでハッキングが可能となった。


DDoS攻撃を行うには、たくさんの「攻撃発信源」を作る必要があるのだが、今や、乗っ取ったパソコンやインターネットカメラなどをまとめて「時間貸し」をしてくれるサービスもある。しかも、1時間あたり数百円から利用できる。

このようなサービスを利用すれば、たった数千円で、ターゲットの企業などに壊滅的なダメージを与えることができる。企業が負う被害金額は、ハッカー自身に掛かった費用の、数万倍から数億倍にも達することだろう。

そのため、非常に人気のあるサービスとなっており、このようなサービスを提供する事業者も乱立している。

もし、あなたがどの事業者のサービスを利用しようか迷ったとしても、安心してほしい。彼らは顧客満足度の向上に努めており、ウェブサイトやメールなどで問い合わせると、迅速かつ丁寧な対応でサポートしてくれる。また、使い方が分からない人たちには活用事例もあるので、初めてのサイバー犯罪でも安心だ。

また、「無料のお試し期間」を設けている事業者もいるので、まずは無料で利用してみて、気に入ったら本契約をしてみても良いと思う。

そして、**２０１６年頃からのトレンドといえば、システムを人質にとってしまうマルウエアの「ランサムウェア」**だ。２０１７年には、一瞬で１５０カ国以上に被害を与えるようなサイバー犯罪も発生している。

このランサムウェアのレンタルサービスは、バックドアの7倍、ワームの10倍程度の需要があることが、各種調査からも分かっている。

もはやサイバー犯罪を行うなら、インターネットさえあれば何でもできる。技術的な習熟度と収益性との相関関係は、希薄になりつつある。

また、既にマルウェアに感染しているパソコンの情報なども1000件単位にまとめて販売されており、数千円から購入することができる。繰り返すが、**マルウェアに感染している被害者は、踏み台として攻撃に用いられた瞬間に、加害者に転ずる。**そして、真犯人は、その後ろに姿をひそめる。まさに、犯罪者を隠蔽することができるのだ。

とにかく、インターネットではあらゆるものに価値が見出され、あらゆるものの売買が行われている。試しに、グーグルなどの検索サイトで「Hacker Selling」と検索してみてほしい。これまでにハッカーが「○○を売った」というニュース記事がいくつも見つかる。

また、マルウェアに感染させられたサーバを集めて作ったネットワークを「マルネット」と呼ぶが、米国のセキュリティ企業、ブルーコートシステムズ（2016年シマンテック社に統合）によると、2016年には1500程度のマルネットが世界には既に存在しているという。そして、一つのマルネットを構成しているサーバの数は平均1269台、最大で3376台もの数があるという。

今や、〝強力なサイバー兵器〟が、大量に、依頼主（真犯人）からの命令を静かに待ち続けているのである。

〈エコシステム〉サプライチェーン・ネットワーク

サイバー犯罪は、今やワンコインで始められる。それどころか、サイバー犯罪のためのエコシステムが存在し、効率的なアウトソーシングを行うためのサプライチェーンまで存在している。

前項でも紹介したハッキングサービスを提供している事業者は、全てを自前で開発して提供しているわけではない。

ハッキングサービスの事業者は、「攻撃ツール」を専門に開発している事業者から数千円程度でそのシステムを買ってきてサービスにしたり、被害者になりやすい人の情報をまとめている事業者からリストを買ってきたりして、一つのハッキングサービスとして提供を行っている。

これらは、一つの組織内で分業されることもあるが、現在は、個別の事業者がそれぞれ連携することによって、サプライチェーン・ネットワークが構築されている。攻撃ツールを地道に開発している事業者たちも、個人のレベルではなく、まるで一つの工場みたいな感じだ。

これらのサプライチェーン・ネットワークの中核にいるのが「脆弱性研究者」である。

ここでいう「脆弱性」とは、システムやソフトウェアなどのセキュリティ上の弱点のことを言う。脆弱性という言葉は非常に重要なキーワードであるため、あらためて第４章（１８４ページ〜「ハッカーが『どこ』を狙うか。ハッカーの心理」）で解説する。

マルウェアを感染させるためには、当然ながら脆弱性を悪用する手法が効果的なため、**「脆弱性情報」の価値は極めて高い。**

さらに、まだ多くの人に知られる前の〝未知の脆弱性〟である「ゼロデイ」と呼ばれるものは、非常に価値が高く、**物によってはその情報に1億円以上の値が付く**こともある。２０１６年には57個ものゼロデイが発見されている。

このように、**脆弱性研究者が存在することで、効率的なサイバー犯罪を行うことができる**のだが、脆弱性研究者自らが、サイバー犯罪の活動に直接的に関与することはほぼ無い。

また、既存のマルウェアをもとに改良版を作ってくれたり、セキュリティソフトで検知されないかを確認してくれたりするなど、周辺サービスを提供している事業者も多く存在している。

そこには、サイバー犯罪を行うための事業者のエコシステムが構築されているのだ。サイバー犯罪者同士の取引をC2C（Cybercrime to Cybercrime）と表現することもある。法人同士の取引をB2B（Business to Business）、個人への取引をB2C（Business to Consumer）と呼ぶことに倣ってだ。

余談ではあるが、「サプライチェーン・マネジメント」という言葉を1983年に初めて用いたのが、米国の軍事コンサルティング会社であるブーズ・アレン・ハミルトンである。同社は、CIAなどの業務を請け負って行っており、NSAから内部文書を持ち出したスノーデン氏も、かつては同社の社員であった。

〈コスト〉費用対効果が重要

サイバー犯罪が収益性のある事業である以上、費用対効果を求めることは当然の帰結である。

そして、実際、サイバー犯罪は費用対効果が極めて高い。

第2章52ページでは、インターネット世界の匿名性の高さと現実世界との制約によって、ハッカーを検挙することも難しく、もし検挙できても、罰することさえ容易ではないと述べた。サイバー犯罪は、悪意のある人間にとって、ローリスク・ハイリターンの魅力的なビジネスなのである。

そして、**攻撃のコストに対して、リターンが大きい**。いや、大きすぎる。マルウェアをバラまく量を増やしたところでハッカーのコストはほぼ変わらないため、当然、まく量を増やすだろう。するとコストに対するリターンは飛躍的に大きくなる。ちなみに、**ランサムウェアを用いたサイバー犯罪では、準備するためにかかるコストに対してリターンが平均で14倍にもおよぶ**。費用対効果が極めて高い。例えば、ランサムウェアの開発や、バラまくためのコストなどが1億円掛かったとしても、そこで得られる対価は14億円にものぼる計算だ。

米国のセキュリティ企業・パロアルトネットワークスの調査によると、技術的に熟練したハッカーの場合、２０９時間（およそ9日間）で攻撃が達成できないと、次のターゲットに狙いを移すと回答している。

また、技術的に熟練したハッカーでなくとも、既に被害者となっていたり、マルウェアに感染したりしているターゲットは攻撃しやすい（一度〝攻撃しやすいターゲット〟のリストに載ってしまうと、狙われやすくなってしまう）。

また、どこを狙ったらいいのか？ 答えはシンプル。システムの弱いところや、組織の弱いところから集中的に攻めていくことである。グループ会社であればグループ内の弱い企業から狙うのは当然だ。

また、第2章39ページで「六次の隔たり」について述べたように、より標的に近いところから始めるほうが、当然効率も良くなる。例えば、政府機関を狙うなら、そこのコンサルティングを行っているところや監査法人などを狙うことも効果的である。

より攻撃の効果を高めていくためには、「標的型攻撃（Targeted Attack）」という手法が、現在は主流である。

よく「標的型攻撃ということは、標的にさえならなければ問題ないのでは」と誤解される方が多いが、これは「標的だけを狙う攻撃」のことではなく「ターゲット（標的）の所属や属性に応じてオーダーメイドされた攻撃」という認識が正しい。既に、現在あるウイルスの7割前後は、ターゲットに合わせて特注したもので攻めている。

そのため、ターゲットとなる業界や企業に属している人は狙われる可能性は高くなるし、96ページの「〈マーケットとして〉日本市場の魅力」でも述べたとおり、日本はインフラが充実していてコストも安いため、〝とりあえず〟、攻撃を受けてしまうことも多い。

警察庁が把握している標的型メール攻撃の件数も、年々増加している。２０１３年には４９２件だったものが、２０１４年には１７２３件、そして２０１５年には３８２８件と、およそ**3倍ずつ程度のペースで増加している**。

ちなみに、私たちが近年観測している中での顕著な動向として、**日本の企業を狙ったサイバー攻撃は、昼の12時台、夕方の17時台、夜の22時台に増加**する傾向がある。

これはなぜなのだろうか。

昼の12時は、ランチで席を外すタイミング。夕方の17時は退勤で席を外すタイミング。そして22時は残業後の退勤で席を外すタイミングであるということが考えられる。パソコンの前を離れた隙に、不正な侵入を試みようとしているわけだ。

ハッカーたちも、そこまで徹底したローカライズを行って、日本市場に合わせた策略を練っているのである。

また、迷惑メールなども、以前に比べて格段に〝自然な日本語〟で書かれるようになってきた。ハッカーも、一生懸命日本語や日本について学んでいることが予想される。

こんなふうに、ハッカーは一生懸命日本市場について研究している。ところが、ターゲットとなる企業の側は、どこが狙われ、それに対してどのような対策を取るべきか、十分に考えているのだろうか？

サイバー犯罪をしやすい業種と、しにくい業種

この章の最後では、私が独自に分析したものであるが、ターゲットとして「サイバー犯罪では割に合わないので避けるべき業種」と、「サイバー犯罪をするのに狙いやすい、おいしい業種」とを紹介したいと思う。

まず、割に合わないのは、**「公共機関」「エンターテイメント関連」**、コンサルティングファームなどの**「プロフェッショナルサービス」**の3業種である。

これらを狙うサイバー犯罪は非常に多い。そのくせ、成功率は極めて低いのが実情である。

実際、公共機関で情報漏洩などが発生した場合は、圧倒的に内部による犯行が多い。案外、ハッキングを行ったりマルウェアを感染させたりするような手法は、うまくいっていない。

もし公共機関をターゲットとしたいのであれば、人間の心理的な隙や、行動のミスにつけ込んで、個人が持つ秘密情報を入手する「ソーシャルハッキング」という手法をオスス

メする。

では、逆に、ハッカーにとっておいしい業種はというと、「宿泊関連」「サービス業」「不動産」である。**これらの業種はセキュリティ対策が他業種に比べて遅れている**ということもあり、サーバを狙う者にとっても、パソコンなどの端末などを狙う者にとっても、ハッキングとマルウェアの双方で成功する確率が高い。また、同業者であるハッカーとの競争率は比較的低いため、まだ、あなたが侵入を試みる余地はある。

公共機関に比べて宿泊施設がどの程度おいしいのか算出してみたところ、およそ100倍おいしい業種であることが分かった。

この後、第4章では、テクノロジーの進化に伴うハッキングの可能性についてケーススタディと共に考察していく。

第4章 ハッカーの視点、ハッカーの心理

信頼と実績あるマルウェアを使って、間違いのないハッキングを

ウクライナでは、2015年に電力会社へのサイバー攻撃が発生し、3時間以上にわたって停電が発生。140万人へと影響を及ぼした。

この事件について、流れをたどってみよう。

——ある日、電力会社の職員の元に、ウクライナ議会議員からのメールが届く。議員から届いた重要なメールということもあり、職員は添付されていたファイルを開いた。馴染みの取引先からのメールであれば、あなただって何のためらいもなく添付ファイルを開くだろう。このメールの真偽を疑うことよりも、取引先から怠慢を疑われることを避けようとする行動のほうが、多くの場合は優先される。この場合も、議員からのメールは、職員にとってそのような存在だった。

この職員がファイルを開いた時、添付ファイルに仕込まれていた「ブラックエナジー」というマルウェア（だと思われる）が動き出し、職員に気付かれることなくパソコンへと感染していた。

ここでの重要なポイントは、職員の元に〝運悪く〟このメールが届いたわけではない、

ということである。

この職員は何者かによって、意図的に、そして計画性を持って、狙われていたのだ。そして、「職員の元に、誰からどのようなメールが届けば、確実に添付ファイルを開かせることができるのか」ということが考えられた上で、実行されている。もちろん、ウクライナ議会議員からのメール自体が偽物だ。

この時用いられたような「特定の誰かをピンポイントに狙って偽メールを送る手口」を、水中スポーツに見立てて「スピア・フィッシング」と呼ぶ。「スピア・フィッシング」とは、素潜りで、銛(もり)や水中銃を用いて〝狙った魚〟を突き刺して捕らえる、というスポーツだ。

これに対し、第2章58ページで紹介したヤフーボーイズのように、不特定多数を狙って行う手口は、漁に見立てて「フィッシング」と呼んでいる。

その後、職員のパソコンに感染したマルウェアは、誰にも気付かれることなくひっそりと動き出し、電力会社のネットワーク内を静かに〝徘徊〟し始めた。そして、電力系統の制御システムを見つけ出すと、その制御システムへと侵入。その結果、変電所は遠隔操作され、3時間以上にわたる大停電が発生することとなった。

このような手口を用いる際に重要なポイントは、まず、マルウェアを電力会社の中に潜伏させること。マルウェアはシステムの内部で当たり前の顔をして振る舞い、制御システムへとたどり着くことができるのである。まるで、映画「ミッション：インポッシブル」で、トム・クルーズがシリコン製のマスクで変装し、敵対組織の中に潜入してしまう場面のようである。

今回用いられた「ブラックエナジー」というマルウェアが最初に世の中に出てきたのは、2007年のことである。その後、通常のパソコン用ソフトと同様、度重なるバージョンアップを経てきた。

バージョンアップにより追加されてきた機能の中でも目を見張るべきは、**「侵入したシステムがセキュリティ対策をしているということに気付くと、自動的にマルウェアが消去され、〝身を隠してしまう〟」という機能**。この機能など、スパイの秘密道具さながらである。

また、このマルウェアには、スマホにアプリを入れていくと機能が増えていくように新しい機能を次々追加していける。その追加プログラムが豊富に用意されているばかりか、機能の拡張性も高いという、業界での信頼と実績あるマルウェアなのである。

ウクライナの事件で、何者かがこのマルウェアを用いてハッキングを行おうとした背景には、このマルウェア自体の信頼と実績の高さがあったからと考えられる。

例えば、通り魔事件の現場に残された足跡が〝限定モデル〟のスニーカーだったりすると、販売店での購入者履歴を調べることで事件の手掛かりとなり、早期解決に繋がる。しかし、〝大量に販売された靴〟の足跡しか残っていなければ、実行犯を絞り込むことは難しい。

ウクライナの事件でハッキングを行った何者かは、それまでに多くのサイバー犯罪で利用されてきた**実績のあるマルウェアを、あえて用いることで、自身が特定されることを困難にしようとした**のではないかと考えられる。

この事件ではもう一つ、〝何者か〟の周到さをうかがえる点がある。

これら一連の行為（＝システムに侵入し、潜伏し、遠隔操作する）と同時に、電力会社の問い合わせ窓口であるコールセンターに、ＤｏＳ（ドス・Denial of Service attack）攻撃を行ったのである。これにより、市民からの「停電に関する連絡」を受けられないようにして、より一層の混乱へと導くようにしたのである。

重要インフラである「電力会社」へのハッキングも、今や容易い

実際のところ、「電話を攻撃する」ということが、どんどんやりやすくなってきている。ここ15年くらいで、IP電話やVoIPなどと呼ばれるインターネット電話が普及したことが理由だ。

これによって、「システム」をハッキングするのと同様の感覚で、「電話」をハッキングすることができるようになった。こうして、インターネット電話を混乱させるようなサイバー犯罪は増加している。

今回の事件では、ウクライナで使用されているシステムが旧型であったことが不幸中の幸いだった。変電所の配電盤に作業員を向かわせて、直接手動での復旧操作を行うことで、数時間後には電力を回復させることができた。

もし、ウクライナよりも近代的で複雑なシステムを使用している日本において、同様の事件が発生すれば、復旧作業に数週間を要することが想定される。すなわち、数週間にわたよぶ停電が起こりうるわけだ。**日本で同様の事件が「発生しない」と言い切れる理由は、一切ない。**

さて、今回の事件全体を見た際の重要なポイントは、**実行犯である何者かが「強固な鍵**

をこじ開けて電力会社に侵入したわけではない」ということである。

この何者かは、電力会社の〝最も弱い部分〟を探し出した。**最も弱い部分、それが「人」である**ということに気付いたことで、「スピア・フィッシング」という手法を用いることが選ばれ、マルウェアを潜伏させることに成功した。

誤解のないようにあえて言うが、「技術面でのセキュリティ対策」よりも「人のセキュリティ対策」のほうが重要だ、と言っているわけではない。ハッカーにとっては、「弱い部分」からのほうが入りやすいというだけだ。「鍵が開いている」ほうから、堂々と入れば良いだけのことである。

このように、**発電所などの重要インフラ**（電力やガスなど、生活や社会に不可欠なサービスを提供している社会基盤のこと）や、**製造業のプラントなどを狙うことは、今、最も盛り上がっているサイバー犯罪の一つ**である。

従来の発電所やプラントは、専用の装置で動作していたために外部からのハッキングが困難であったが、現在では**制御しているシステムを「オープン化」**することが主流となっている。「オープン化」というのは、複数メーカーの製品を組み合わせて構成することで、より低コストで効率良く、発電所やプラントの運用を行っていくための考え方だ。

その複数メーカーの製品同士を制御しているうちの80％で「Windows」が用いられていると言われている。驚くなかれ、発電所やプラントのシステムが、家庭にあるパソコンと同じWindowsで制御されているのである。

家庭のパソコンを狙うのと似た手法で、発電所やプラントへのハッキングができるようになってきている、ということなのだ。

当然ながら、これらのことはハッカーにとって非常に都合が良い。セキュリティ対策が厳重になってきた「金融機関」を狙わなくても、これまで金融機関を狙っていたのと同じハッキングツールを用いて「重要インフラ」を狙っていけば良いからだ。**重要インフラを狙って社会全体を麻痺させてしまうことは、金融機関をハッキングすることで得られるのと同等、もしくはそれ以上の、対価が得られ、かつ影響を与えることができてしまう。**

重要インフラがハッキングされてしまうことで、一般市民の生活においても物理的に大規模な被害が生じるが、これが既に現実のものとなり始めているとは、あまりに恐ろしいことである。

「インターネットと接続していないパソコン」を使い分ければ、ハッキングは防げる？

第2章の終わりで、〝インターネットからの攻撃を受けたくなければ、インターネットに繋がなければ良い〟と述べた。たしかに、インターネットに接続しなければ、ハッキングを防ぐことができそうな気もする。

しかし、現実にはそう簡単にもいかない。

核開発施設や原子力関連の施設などでは、万全を期すために「エアギャップ」を設けることは多い。

「エアギャップ」とは、同じ組織の中でも、「インターネットなど外部と接続されたパソコン」と、「インターネットから切断されたパソコン（＝重要なシステムに繋がっていたり、重要な情報が保存されていたりするため、あえて切断してある）」とを使い分けることで行うセキュリティ対策のことである。

半導体製造工場や食品製造工場などでは、衣服に付着したゴミやホコリを施設内に持ち込ませないために、施設に入る時に、強力な送風機で風をあててゴミやホコリを払い落とす「エアシャワー」などの装置を用いることがある。この物理的に分離された空間を「エアギャップ」と呼ぶことからきている。

例えば医療機関でも、診療報酬を請求するためのパソコンはインターネットに接続されているが、患者さんの情報を管理するパソコンはインターネットに接続していないなど、使い分けがなされている場合が多い。

では、インターネットに繋がっているパソコンと繋がっていないパソコンとを分けることで、ハッキングは防げるのだろうか？

結論は、それでも「ハッキング可能」である。

2010年に、イランの核燃料施設において、ウラン濃縮用遠心分離機が突如として暴走、およそ8400台ある遠心分離機の全てが稼働不能に陥るという事件が発生した。

これは、「スタックスネット」というWindows上で動作するマルウェアによって引き起こされた事件と見られている。

この施設でも、前述した「オープン化」によって、遠心分離機はWindowsで制御されていたのだが、エアギャップを設けることでインターネットからは隔離されていた。

だったらなぜ、インターネットに繋がっていない遠心分離機にマルウェアが侵入することができたのだろうか。

この事件は当初、「マルウェアを仕込んだUSBメモリを、核燃料施設の駐車場に落としておくところから始まったんじゃないか」と、多くのサイバーセキュリティ専門家の間で考えられていた。そのUSBメモリを拾った職員が、落とし主を確認するためにパソコンに接続してUSBメモリの中身を確認しようとしたことで、まずはパソコンにマルウェアが感染し、その後、施設内にマルウェアが拡がっていったのではないか——と推測したのである。

しかし、ロシアのセキュリティ企業・カスペルスキーによるその後の分析で、ここが狙われる以前に、「核燃料施設のシステム開発に携わる企業」や「素材・部品などを供給する企業」がまず狙われていたということが分かった。そして、これらの業者がメンテナンスなどのために施設を訪れ、〝感染しているパソコン〟を使って作業を行った。それによって施設のパソコンに感染した可能性が高い。

この事件はその後、ウクライナの大停電事件の時と同様に、マルウェアが遠心分離機を暴走させるに至った。

ウクライナの大停電事件では、「カギ」を開けるために狙われたのは**電力会社内部の職員だった**が、イランでの事件では**取引先だったわけだ。**

このように、納入業者などのサプライチェーン企業を狙う攻撃を**「サプライチェーン攻撃」**と呼ぶ。

この事件での重要なポイントは、時として**取引先までもがハッキングを成功させるために利用されてしまう**ということである。しかも、「エアギャップ」が設けられていたというのに意味がなかった。

さらに私たちが覚えておかないといけないのは、ここで用いられた「スタックスネット」というマルウェアは、中東よりも、北米や西欧そして日本のほうが圧倒的にターゲットとなる施設が多い、ということである。

2015年に、トルコ軍関係者らとバーベキューをするために、私はトルコの首都アンカラを訪れた。その時に聞いた話では、2010年にトルコの官公庁がサイバー攻撃を受けて以来、より一層、サイバーセキュリティが重要視され、予算も増額されているとのことであった。しかしそれから数週間後、イスタンブールや周辺の都市で、大規模停電が発生してしまったのである。

日本では、2015年にサイバーセキュリティ基本法が施行された。2016年からは内閣サイバーセキュリティセンター（NISC）によって、13セクターの重要インフラを守るために、官民が共同で対策を検討しているところである。ウクライナやトルコで発生したのと同様、もしくはそれ以上の事件が、日本で発生しない理由などないからだ。

英国では、公的な手続きを行う際に、政府から委託された民間企業のサービスを利用する場合が多い。

昨年私も、英国で、〝民間企業に委託された公共サービス〟を利用し、個人情報と共にメールアドレスを記入したのだが、そこから数分後には、英国政府を名乗るフィッシングメールが届き始めた。この時は、即座に英国内務省へ通報し、対処の要請を行ったが、もしこの手口に引っかかってしまっていれば、その後、甚大な影響を及ぼすことになった可能性は十分ありうる。

今流行の、「システムを人質にとり、身代金を要求する」マルウェア

米国には、11月の第4木曜日に、「Thanksgiving（サンクスギビング・感謝祭）という祝日がある。日本で言えば、盆と正月が一緒になったような祝日だ。サンクスギビングの翌日にはブラックフライデーとなり、全米の小売業などでは一斉にセールが実施される。日本の夏や年末に実施されるバーゲンセールのようなものだ。

2016年のブラックフライデーの日、サンフランシスコの市営鉄道が無料となった。

実はこの時、サンフランシスコ中の市営鉄道駅にあるコンピュータ、2000台以上が

「マンバ」というマルウェアに感染し、券売機が利用不可能となってしまったためだ。市営鉄道は、利用者への影響を最小限にとどめるため、無料乗車券を配布せざるをえない状況に陥ってしまったのである。

このマルウェアに感染すると、パソコンのハードディスク全体が暗号化され、使えなくなってしまう。そして、OSを起動させようとしてもOSは起動せず、代わりに犯人からのメッセージが表示される。

この時は、「このパソコンを使えるようにするには、100ビットコイン（当時のレートで、およそ840万円相当）を支払え」と要求してきた。このように**身代金（ransom・ランサム）を要求する手口のマルウェアを「ランサムウェア（Ransomware）」と呼ぶ。**

この事件では、バックアップしてあったデータを復元することで、パソコンを感染前の状態に戻すことができたので、3日後には自力で券売機を復活させるに至った。市営鉄道は身代金の支払い要求に応えずに済んだ。

英国のセキュリティ企業・ソフォスの分析によると、この「マンバ」というランサムウェアはあまり出来が良くないようだ。

……出来の良いランサムウェア、出来の悪いランサムウェアと言われてもピンとこないかもしれないので、説明すると、「身代金を要求し、それが振り込まれるなどすれば、システムを元の状態に戻してくれる」ものが、〝出来の良いランサムウェア〟である。ところが、この「マンバ」は、被害者が犯人に身代金を支払ったとしても、プログラム上の問題で全く復元できない可能性があるというのだから、致命的である。そもそも、暗号化技術を使いこなすということは、本来、非常に難しいのである。

今回の市営鉄道の場合は、日常的にバックアップを取っていたことが非常に良い結果へと繋がった。

「犯行グループを名乗る者」と「市営鉄道」の言い分が異なるため、真相は不明であるが、その後、サンフランシスコのローカル新聞であるサンフランシスコ・エグザミナー紙による取材で意外な事実が判明する。

どうやら今回の事件では、市営鉄道が意図的に何者かに狙われたわけではなく、システムの管理者権限を持つ市営鉄道職員の誰かが、ファイル共有サイトからマルウェアに感染したファイルをダウンロードしてしまったため、市営鉄道内のコンピュータに感染したというのだ。

ここでも、これまで見てきた事件のように、〝職員〟がセキュリティ上のリスクとなってしまった。

ハッカーに狙われるホテルの特徴

ランサムウェアに限らず、**職員のセキュリティ意識の低さによって引き起こされる事件には枚挙にいとまがない。**

数年前、突然、都内のホテルで全客室のインターネットが接続できなくなってしまうという事件が起こった。調査にあたったところ、事務職の男性がオフィスのパソコンからアダルトサイトを閲覧した際に、パソコンがマルウェアに感染してしまい、ホテル全体のネットワークに膨大な量のデータが流れてしまって、インターネットの回線をパンクさせてしまったことが原因だった。

今や、ホテルの客室におけるインターネット接続の有無は、部屋にドライヤーがあるかどうかよりも重要な項目なのではないだろうか。この事件は、一つのホテルで起こったものであるが、軽視はできない。

そもそも、ホテル自体のIT化も進んでいる。最近では、昔ながらの金属製の鍵ではなく、カードキーを導入しているホテルも多い。カードキーには、宿泊する部屋の情報が記録されている。カードキーであれば、ホテル側は鍵の不正な複製を防ぐことができるし、万が一宿泊客がどこかでカードキーを紛失してしまっても、カードキー自体には部屋番号などが記載されていないため悪用できる可能性を下げられる（そのカードキーに紐づいた鍵情報のデータだけを無効にしてしまえば良い）。

また、空室が目立つ場合には、インターネットのホテル予約サイトなどを用いて価格を随時ディスカウントして空室率を減らすこともできる。チェックイン時に部屋をアップグレードするなどの対応も柔軟にできる。

さらに、顧客情報のデータベースにも連携しているので、防犯のためにも、顧客満足度を向上させるためにも、良い仕組みなのだ。

しかし、２０１７年に、こんな事件があった。オーストリアのある高級ホテルで、突如として宿泊客に渡すカードキーへの書き込みができなくなってしまったのである。

なんと、ホテルのカードキーシステムがマルウェアに感染してしまっていたのだ。ホテルは犯人から、「カードキーシステムを復活させたければ、ビットコインで18万円相当の身代金を支払うこと」を要求され、支払ってしまった。

後に、ホテル関係者が、ＩＴ系ニュースサイト「The Verge」の取材を受けている。そこで「被害は、カードキーの書き込みができなくなったことだけだ」と述べている。

しかし、問題はそこではない。

このホテルがサイバー攻撃の被害に遭うのは、この時で、なんと4回目だったのだ。

私が思うに、この4回全てが同一犯の犯行ではない。というのも、日本でオレオレ詐欺の被害に遭った人というのは、〝騙されやすい〟人のリストに載ってしまい、そのリストは同業他者に転売されてしまう。すると、たびたび詐欺事件のターゲットにされてしまう、というのが、詐欺業界のセオリーだからだ。今回のホテルも、サイバー犯罪のターゲットとなりやすいホテルとして扱われている可能性がある。

サイバー犯罪者は、マーケティング能力が高くないと成功しない

この事件において、**もう一つ問題視すべきことは、このホテルは、身代金要求に応えて18万円相当のビットコインを支払ってしまったこと**である。

この時は、運良くロックが解除されたが、前述のようにマルウェアの出来が悪いと、支払ってもロックが正常に解除されないこともある。

さらにここで問題視しなくてはならないことは、反社会勢力からの金銭要求に応じてし

まったことで、コンプライアンス上の問題も問われる可能性があるということである。

サイバー犯罪はコンピュータマニアの青年が愉快犯的に行っていると思いがちなので、案外見落としてしまうが、**これらの犯行は、反社会勢力の資金源となっていることも多い。そのため、京都府の説明によると、日本の地方自治体ではランサムウェアの被害に遭っても、身代金を支払ってはいけない**ことになっている。

たしかに、一刻も早くカードキーのシステムを復活させなければ、大勢の宿泊客が部屋に入れずに困ってしまう。ホテルとしては、身代金（犯人が賢いのは、これが、莫大な金額ではないことだ）さえ払えば復活するのなら、背に腹は代えられず、さっさと払って通常営業を再開したいのであろう。しかし、対応には慎重になるべきなのだ。

このようにシステム全体を乗っ取ることで〝システムを人質にとり〟、身代金を要求するランサムウェア犯罪は２０１６年頃から急増している。重要インフラや工場のプラントなどを狙った同様の手口も、２０１７年に入ってからはさらに増加し、１５０カ国以上で被害を招いた事件も発生している。

実は、**日本人は、「すぐに支払ってくれる魅力的なターゲット」**であり、このことも犯罪の増加を助長している。

ところで、第2章で取り上げたビジネスメール詐欺では、一件あたりの被害額が数千万円単位におよぶことも多かったが、**ランサムウェア犯罪の場合、従来の手口と比較して少額であるという特徴がある。**どちらかというと、フィッシング詐欺のように「不特定多数にバラまくことで収益をあげる」「少額を多数から集める」タイプのサイバー犯罪だ。「**考える間を与えずに支払わせる」ため、「支払うことのできるであろう、絶妙な金額」の設定を、**犯行グループが考えているのが特徴だ。

さらに、「**要求に従って支払えば、システムの不具合は〝ちゃんと〟解除される**」ところも特徴の一つだ。「ちゃんと解除される」という評判が広まることは絶対条件なのだ。なぜなら、解除が約束されたものでなければ、被害者だって支払いを躊躇してしまうからだ。

サイバー犯罪者は、口コミや評判に気を配り、絶妙な金額の設定を行っている。マーケティングのレベルが高いのだ。

「ビットコイン」などの仮想通貨が、サイバー犯罪の基軸通貨に

従来のサイバー犯罪では、銀行の口座情報を盗んだり、自身の口座に入金させることとま

ではできたとしても、それを現金として引き出すことは、非常に手間の掛かることであった。

第２章42ページで述べた「オペレーション・ハイローラー」事件でも、海外送金を経て一度国外の銀行から引き出し、さらに別の送金サービスで別の国へ送金するなど、**匿名性を高めることで追跡を困難にしてから、引き出している。**

最初のランサムウェア「ＰＣサイボーグ」が登場したのは１９８９年のことであったが、27年を経て進化に進化を重ね、結果、この手のサイバー犯罪は急増してきた。

１４３・１４６ページで挙げた事例を見ると、いずれもビットコインでの支払いを要求している。

ビットコインというのは、謎の人物サトシ・ナカモト氏によって投稿された論文をもとに２００９年から運用されている「仮想通貨」である。仮想通貨であるため、特定の国家による保証を持たない。このことは、サイバー犯罪にかかわらず**犯罪収益を決済する手段として非常に都合が良い。**

従来であれば、犯罪収益を現金として引き出すまでの間に、政府からの追跡や敵対組織に横取りされるリスクにも気を配る必要があったからだ。

ビットコインをはじめとした仮想通貨の登場は、「高い匿名性があること」と「容易で安全な海外送金の手段であること」ゆえに、犯罪収益のセキュリティを高め、サイバー犯罪の世界にもフィンテック（Fintech・financial technology）革命を引き起こした。フィンテックとは、ＩＴを駆使することによって金融機関などの提供するサービスの機能を強化したり低コストにしたりする一連のトレンドを指す。

皮肉にも、**「セキュリティ対策の弱いところから盗んだお金」を、自分たちは「万全のセキュリティ対策で管理している」**というわけだ。当然のことではあるが、**どうやればハッキングできるのかを分かっているのだから、どうやればハッキングされないのかということも分かっている。**

日本では、ビットコインと言われると、まだ根強くネガティブな印象を持たれることが多いだろう。というのも、２０１４年に発生したビットコイン交換所における４００億円相当の消失事件と、その後に発覚した同交換所ＣＥＯによる横領事件による印象が強いためだ。しかし、この事件は、ビットコインに付随する事業者の問題であって、ビットコイン自体の信頼性を揺るがすものではない。

ビットコインは、欧米圏をはじめ広く普及してきており、海外からの旅行者が多く訪れている六本木などでは、早くもその影響を受けている。その手軽さや、両替をせずにそのまま利用できる利便性などから、**飲食店でのビットコイン決済の可否が集客力を左右しているというのだ。**

また、ビットコインを使うと、インターネットを介した送金や支払いが楽にできる。旅行中に追加でお金が必要となった場合、母国にいる家族から送金してもらうことも容易なのである。

２０２０年の東京オリンピックに向かって海外からの旅行者が増えていくなかで、「ビットコイン決済」に対応する飲食店や小売店が、都内でも徐々に増え始めているというわけだ。

日本では、ガラケーの時代から、携帯電話にＳｕｉｃａ（スイカ・関西ならＩＣＯＣＡ）やＥｄｙ（エディ）などの「円」に基づく電子マネーが既に普及しており、交通機関だけではなく、買い物や飲食などでの支払いに利用できるが、これらは**日本専用のガラパゴス決済**である。ご存知のように、Ｓｕｉｃａにドルやポンドをチャージしたり、Ｓｕｉｃａで海外の電車に乗ったりするといったことはできない。

店舗等でビットコインを使用する際には、Ｓｕｉｃａと大きく異なる点がある。Ｓｕｉ

ｃａは店舗に備え付けの読み取り端末にかざすことで決済が完了するのに対し、ビットコインは、店舗が掲示するＱＲコードを携帯電話のカメラによって撮影する（専用アプリを使用する必要あり）ことで、決済が完了する。このＱＲコードには支払先の情報が記録されているため、カメラで撮影すると、専用アプリが内容を読み取って、指定の口座への送金を行う。

iPhone7以降、専用のＩＣチップが搭載されることでＳｕｉｃａが利用できるようになったが、**ＱＲコードでの決済は、カメラ機能が付いた携帯電話であれば利用することができ、機種にも依存しないため、新興国市場などでも急速に普及している要因の一つ**である。

中国では、お賽銭にもビットコイン!?

最近では、中国のお寺にある賽銭箱にも、ビットコイン決済を行うためのＱＲコードが貼ってある。ビットコイン決済ができれば、財布の中に**高額紙幣しかなかったとしても、躊躇することなく任意の金額で賽銭をあげることができる**のである。

また、これによって賽銭泥棒も阻止できる。ビットコインでの「賽銭」の場合、「参拝者のビットコイン口座」から「お寺のビットコイン口座」に送金が行われるため、現金のやりとりが生じないので、**賽銭泥棒に盗まれる心配もない**というわけだ。

中国のマーケティング情報サイトChina Channelの調査によると、中国において、QRコードを用いたコンビニでの支払いは、クレジットカードの3倍、現金の6倍も利用されている。

また、2016年に高額紙幣の廃止を決めたインドでも、ビットコインの需要が急増している。

店舗がビットコインを採用する場合、決済手段を提供する会社の加盟店となることで、利用することもできる（これは、クレジットカードと同様）。だが、ビットコイン独自の規格に合わせてインターフェースを作れば、ウェブサイトを作るような感覚で決済手段を得ることができる。

つまり、比較的容易に、個々人が「クレジットカード会社」や「決済代行会社」、そして「銀行」になることができてしまうということだ。その具体的な方法については、仮想通貨やビットコインなどの解説書に譲るとするが、**QRコードに限らず、ICチップや独自の紙幣を作るなど、いろいろな形態がある**ことをお伝えしておく。

クレジットカードの場合、店舗で顧客が支払いを行ってから、実際に入金されるまで1日~60日程度が必要であった。しかし、**ビットコインであれば、顧客が支払ってから10秒~15秒程度で、店舗の持つ「ビットコイン口座」への入金が完了する。**

また、特定の通貨に縛られず、特定の国家による管理もなされていないため、**第三者を仲介させることなく、世界中への送金を制限なく行うことが可能**である。そのため、アルゼンチンやイラン、中国など、資金の移動に関して厳しい制限がある地域で特に人気がある。そのため、日本でも、2017年4月より仮想通貨法が施行された。

今後は、様々な国で何らかの規制が増えていくものと思われる。

たびたび物議を醸す〝**機密情報公開サイト**〟の**WikiLeaks(ウィキリークス)でも、過去にビットコインを活用している。**不法に持ち出された機密文書が公開されたことで、米国政府によって同サイトの資産凍結がなされたことがあるのだが、この時、ビットコインでの寄付を募ることで、資金調達に成功した。

また、薬物、武器、マルウェア、海賊版コンテンツ、盗まれたアカウントやクレジットカード情報、ハッキング技術などの販売を行い、日本円換算で月商1・5億円を売り上げていたウェブサイトがある(シルクロードという名称)。このウェブサイトの決済手段として用いられていたのもビットコインであったが、２０１３年に、ＦＢＩによって閉鎖させられた。

このように、仮想通貨は、一般消費者にとって「利便性」と「安全性」を提供してくれるものなのだが、同時に**「犯罪収益の獲得」**や**「犯罪収益の海外送金」などにおいても最大限活用されている**のである。このように、フィンテック革命は、サイバー犯罪にも恩恵をもたらしている。

ネットに繫がっている限り、あなたはずっと「監視・追跡」されている！

監視や追跡をされることに、強い拒否反応がある。プライバシーは侵害されたくない。

――これについては、サイバー犯罪に従事する者に限らず、誰でも同じだろう。

ＪＲ東日本が２０１３年に、「Ｓｕｉｃａの利用状況のデータ」を販売した。もちろん、個人が特定できないよう匿名化した上であり、駅エリアのマーケティング情報として活用できるようにという目的である。すると、「プライバシー侵害に関する懸念」から騒ぎになり、販売開始から1ヶ月足らずで販売中止となった。

また、２０１４年には、情報通信研究機構（ＮＩＣＴ）が、「約90台の監視カメラを大阪駅ビルに設置する」「そのカメラによって顔を自動識別し、人の流れを解析する」という実験を行うことを発表した。この実験の目的は「施設内での動きや滞留状況を把握する」ためである。この実験においても同様に、「特定の個人が識別できない形に処理した上で、分析を行う」とのことだったのだが、プライバシー侵害に関する懸念が高まったという意見が多く、実験開始の1ヶ月前になって、急遽実施が延期されることとなった。

しかし、日頃あなたが活用している**無償のソーシャル・ネットワーキング・サービス（SNS）やメッセージング・サービスなどではもはや、匿名化した上で、行動データなどが他の事業者へ販売されている場合もある**ことに気付いているだろうか？

ちなみに、これらのサービス（SNSやメッセージング・サービス）は、今後ますますインターネットを介して、様々なサービスと連携していくことになるだろう。すると、SNSやメッセージング・サービスを運営する企業は、サービスを提供する一方で、精密な顧客データをどんどん蓄積していくことになる。こうしたデータは様々なビジネスが欲しているため、その価値と価格は向上する一方である。

少しイメージがしにくいかもしれないので、具体的な話をしよう。普段からインターネットに接続している「あなた」。ウェブサイトの運営者側は、そのあなたについて、どの程度知ることができるのだろうか？

あなたは「天気　東京」というキーワードで、グーグルやヤフー！などの検索サイトから天気予報サイトにたどり着いた。そして「東京都港区」の天気予報ページを長い時間見ている――としよう。

すると、「あなたは今、東京都港区にいる」もしくは今日これから「東京都港区を訪れる」など、何らかのヒントをウェブサイトは得ることができる。このような情報をウェブサイトが拾い上げるシステムは既に当たり前のごとく機能しているので、ウェブサイトの横には、港区の飲食店のクーポン券などが表示されているかもしれない。まさに一刻一刻あなたは「マーケティング」されているのである。

その他にも、「あなたが今、この情報をパソコンから見ているのか、スマホからなのか」「Windows ユーザーなのか Mac ユーザーなのか」といったことを拾い上げ、画面のデザインをより見やすいものにする、という仕組みもある。スマホの電池残量も分かるので、電池が少なくなってきたら、近隣でスマホの充電を行えるカフェの広告を表示することも可能だ。

「あなたが今いる場所」は、Wi－Fiで「特定」できる！

〝ハッカー〟が、いざ、あなたの居場所を探そうと思ったら、あなたが利用しているプロバイダーや携帯電話から、その基地局やIPアドレスを割り出せばいい。それをもとにすれば、数百メートルの誤差で「あなたの居場所」を調べることができる。概ね「何町の何丁目」にいるのかくらいは分かる。

さらにもっと居場所を「特定」したい場合はどうするか。居場所の特定に使われるのが、GPSデータなので、GPSがあればいちばんいい。しかし、屋内や地下にいてGPSの電波を拾いにくい場合や、そもそもGPSが搭載されていないパソコンなどの場合はどうしたらいいのか。

都市部や商業地域、住宅街などの場合は、Wi－Fiを用いて正確な位置を調べることができる。

Wi－Fiを使って位置を知る方法を見てみよう。

スマホやパソコンでWi－Fiの設定画面を開くと、今電波を拾っているWi－Fiルータの一覧が表示される。そして、その横には、扇のような形か、数本の階段状になった棒が表示されることで、電波の強さが表示されているはずだ。

詳細を言うと難しくなるので、簡単に説明すると、「複数のWi－Fiルータからの距離を電波の強さをもとに算出し、それぞれのWi－Fiルータの描いた円が交わる場所が、今あなたのいる場所」である。

しかし、Wi－Fiルータは、決まったルールに基づいて置かれているわけではないことに気付くかもしれない。オフィスや個人宅などの様々な場所に置かれているため、円を描く際の中心を決めることが難しいのではないか!? と。

ところが、このような心配は不要である。既に、GPSや携帯電話基地局などの情報と紐づけて、ほぼ正確なWi－Fiルータの位置をデータベース化してくれている企業があるため、そのデータベースからWi－Fiルータの位置を知ればよい。

この方法も非常に精度が高く、私自身、東京駅前の丸ビルでGPSのないパソコンを用いて試してみたところ、何階のどの会議室に私がいるのかということを、すぐに割り出せた。

人里離れた山の中など、Wi－Fiの電波がないところでは使うことができないが、多くの電波が飛び交う都市部や商業地域、住宅街などでは有効性の高い方法である。

ただし、ウェブサイトを見ているからといって、即座にWi－Fiを用いてあなたの居場所を探し当てることはできない。この方法を用いるには、あらかじめ専用のアプリなどをインストールしてもらっておく必要がある。

といっても、それはさして大きな問題ではない。マルウェアに仕込んで、ウェブサイトからそのアプリをダウンロードさせたり、フィッシングメールに添付して送ったりすれば良いのだから。

今のカメラの技術があれば、宇宙からでも人を見分けられる

インターネットに接続していることで、あなたの居場所を探し当てられる可能性があるということが分かった。

それでは、インターネットに接続しなければ、あなたは身を隠すことができるのだろうか？

カメラはどんどん高性能になっているし、人工知能関連の技術も日進月歩で発達しているため、現代において「身を隠す」ことは、日に日に難しくなっていると言っていい。

米国の偵察衛星は、通常５００㎞から６００㎞上空を周回しているが、必要な時には１５０㎞まで高度を下げて撮影を行う（ちなみに、旅客機が航行しているのが高度10㎞）。

実は、150kmの高度から撮影した際でも、10cm以下の違いを識別することが可能になっている。

デジタルカメラで撮影した写真を拡大して拡大して拡大し続けていくと、最後には点になるが、偵察衛星からの画像では、この点の一つが、地上の10cmということになる。

1996年に、当時の通産省が出版した『設計のための人体寸法データ集』によると、日本人男性の肩幅平均値は45・6cmということなので、宇宙から偵察衛星を用いて撮影した場合、地上にいる人は「横5つ×縦2つの10個の点」で表現できるということになる。

例えば、横方向の5つの点が「白白黒黒白」といった具合に並んでいれば、そこに髪が黒く、白い服を着た人がいるだろう。もし白と黒が逆のパターンなら、黒い服を着た白髪の人かもしれない。大まかな特徴と人数くらいまでは、宇宙からでも分かるのだ。

宇宙から撮影した時の話をされても実感は湧きづらいだろうから、地球上での話をしてみよう。

NASA(米国航空宇宙局)が火星探査のために530億画素の画像処理技術を開発した。これを用いれば、**高さ634mの東京スカイツリーの先端から、地上を歩いている人のシャツの縫い目まで鮮明に見ることができる。**

極めて高性能なカメラは、軍やＮＡＳＡが使用しているカメラだけではない。

あなたが普段使用しているスマホのカメラやデジカメの画像でも、「アップスケーリング」などの高精細化技術を用いれば、より鮮明な画像に変えることができてしまう。

映画「ボーン・アイデンティティー」シリーズでは、監視カメラに写った不鮮明な画像を解析していくとマット・デイモン扮するジェイソン・ボーンの姿が浮かび上がる、というシーンがある。本来、画像を拡大し続けていくと最終的には一つの点となるので、画像は徐々にモザイク状となり不鮮明になるはずである（デジタル画像を拡大した時のことを思い出せば分かる）が、「アップスケーリング」を行えば、この画像を鮮明なものに変えることができてしまう。

何のことやら分からないという人は、不鮮明な画像を鮮明な画像へと変えてしまう技術があるのだ、ということを覚えていてくれれば、それでいい。

実際、私が投資している企業に、この特許を有している企業がある。この企業は海外の軍関連に売り込みに行ったこともあるし、日本でも防犯目的などで警察関連などから相談を受けることもある。

「高精細化した画像＋人工知能」が、国防やテロ対策に使えると同時に、悪用も!?

以前、大手通信機器メーカーの研究所を訪れたことがあるのだが、デモンストレーションで見せられた技術では、1分間に1200人の顔を識別できる能力を持っていた。高精細なカメラと組み合わせれば、「前半戦終了のホイッスルが鳴るまでの間に、5万人いるサッカー場の観客の中からテロリストを見つけ出す」ことも可能だろう。

さらにもっと身近なものでも見てみよう。iPhone7のカタログを見てみると、カメラの性能として「1200万画素」と表記されている。この1200万画素というのは、先ほどの偵察衛星の話で触れた「点」が1200万個集まって1枚の写真を作っていますよ、ということである。すなわち、この数字が大きくなればなるほど、写真はより鮮明なものとなっていくのだが、毎日何よりも身近に置いているスマホで、この画素数である。

高性能化したカメラで撮った画像をさらに高精細化した画像があれば、そこに、人工知能を用いることで、人混みに紛れたあなたを見つけ出すことだってできる。人工知能は、到底人間が処理することができないほどの膨大なデータから、コンピュータがアルゴリズムを導き出して分類し、予測する。

しかも、現在の技術では、帽子を被っていたり、サングラスを掛けたりしていても、かなり高い確率で目的の人を見つけ出すことができる。

この技術を用いれば、映画「マイノリティ・リポート」に出てくるような、犯罪発生を予想するシステムをサイバー攻撃に対してもできるのではないかと期待し、人工知能の権威の元を訪れたのだが、今はまだ難しいようだ。その理由は、膨大なデータをもとに処理を行うのが人工知能である以上、逆に膨大なデータが必要となるためだ（つまり、まだデータが足りない！）。

当然、サイバーセキュリティの世界でも、日々膨大なデータが吐き出されているが、画像情報はその比ではない。そして、機械学習が画像処理を得意とする理由もここにある。

第2章「悪魔の遠隔操作は、こうして起こる」では、60パターンのIDとパスワードの組み合わせを用いて、130万台ものインターネットカメラやビデオデッキがハッキングされた、という事件を紹介した。

また、覗き見し放題の状態となっている監視カメラ（パスワードが設定されていないカメラ）の情報をまとめたウェブサイトというのがあり、そこには100万台程度のインターネットカメラが登録されている。

最近、スマホ向けの位置情報ゲームが流行ったが、ゲームで遊びながらいろいろなところで利用者がカメラを向けてくれれば、より多くの画像を集めることも可能になる。

こうした画像データを収集し、人工知能が黙々と解析を行えば、私たちの行動を監視することができる。

これらは、国防やテロ対策にとって有用な技術であるが、同時に、悪用される可能性も大いにある。例えば知的財産を多く保有している製造業への産業スパイ行為に使用されたら、どうなるだろうか……。

フェイスブックが、諜報活動の一環として通信傍受!?

画像の解析ができるのと同様、音声を解析することもできる。

音声の認識能力も、既に高いレベルに達している。スマホでも、iPhoneであれば「ヘイ！ シリ！（Hey! Siri!)」、Androidなら「オーケー！ グーグル！（OK! Google!)」と語りかければ、「ご用件は何でしょう?」とスマホが返してくれる。

特定のキーワードを発すれば、近くにあるスマホがあらかじめ決められた動作をすることが可能であるため、これを使えばより効率的な〝諜報活動〟も行える。

諜報活動といえば、2013年に、元NSA（米国国家安全保障局）の職員であったエ

ドワード・スノーデン氏が持ち出した内部文書から、フェイスブックもNSAの諜報活動の一環として通信傍受に協力させられていたことが判明した。そのため、同年に、米国フェイスブックが、「メッセージングアプリの開発企業、ワッツアップを買収する」と発表すると、ドイツにおけるワッツアップのアプリの利用者が、競合アプリであるスイスのスリーマに、数日間で16万人も移ってしまった。

この時ドイツでは、iPhoneの有料アプリランキングで、スリーマのダウンロード数が1位となった。ちょうどこの頃、ドイツでは「米国が10年以上もメルケル首相の携帯を盗聴していた」ということが発覚し、プライバシー問題に敏感になっていたのだ。

ドイツはともかく、世界規模で、競合のアプリに16万人もが大移動したというのは、大問題だ。いったいなぜこのようなことが起こったのだろうか。

このスリーマというアプリの最大の特徴は、「エンドツーエンド（end-to-end・端から端まで）暗号化技術」にある。メッセージングアプリケーションを使って会話をしている両者間の通信経路が〝暗号化〟され、外部から傍受することができなくなっているのがスリーマだったのである。このサービスを運営している管理者自身でさえも、利用者の会話を読むことはできない。この「安心感」に人が流れたと考えていいだろう。

さて、フェイスブックに買収されたワッツアップも、2016年には、同社の全てのサービスをスリーマ同様に「エンドツーエンド暗号化した」と発表した。

また、フェイスブックメッセンジャーというフェイスブックのメッセージング機能でも、同年に、「秘密のスレッド」というエンドツーエンド暗号化機能が追加された（iPhoneとAndroidそれぞれのアプリでの利用に限定されるが）。あわせて、一定時間でメッセージを自動消去する機能も追加されている。

これが、ハッカーのやり方だ。あなたのすぐ隣で起きる「盗聴」「機密情報の漏洩」

盗聴されるリスクや、機密情報が漏洩するリスクは、出張や旅行で訪れたホテルにも潜んでいる。

ホテルの宿泊客を狙ったサイバー犯罪は、判明しているだけでも2007年頃から行われており、FBIも、2012年から言及し始めていた。しかし、広く世の中に知れ渡ったのは、2014年のこと。ロシアのセキュリティ企業・カスペルスキーが「ダークホテル」と名付け、警戒を促した手口がある。

前述の146ページ～「ハッカーに狙われるホテルの特徴」の中で、現代では、宿泊先のホテルを決める上で重要な要素の一つが「インターネット接続が有るか否かである」と述べた。海外のホテルを訪れる際には、到着するなり、Wi－Fiなどのインターネット接続を真っ先に探す人は多いだろう。ローミング通信を利用すると通信速度は低下するし、通信料金は高額になるからだ。

しかし、「ダークホテル」では、このホテルのインターネット接続そのものに罠が仕掛けられていたのだ。

この事件では、企業幹部や政府職員などが多く狙われた。ちなみに、この時マルウェアに感染した3000台のパソコンのうち、2000台は日本で見つかっている。

あらためて、この事件がどのようなものであったか見ていこう。

まず、

①ターゲットとなる人物（＝被害者）が、ホテルのWi－Fiもしくは有線接続を用いてパソコンをインターネットへ接続する。

すると、

②パソコンに「グーグル・ツールバー」や「アドビ・フラッシュ・プレイヤー」など、見たことのあるようなアプリケーションのアップデートを促すメッセージが表示される。実

は、これが**偽物のメッセージ**である。ここで、ターゲットが偽物と気付かずに「ＯＫ」をしてしまうと、即座にマルウェアがインストールされ「バックドア」を仕掛けられる。「バックドア」とは、１０２ページで前述したように、いつでもハッカーが自由に出入りできるようにする、まさしく裏口のことだ。ただし、ターゲットのパソコンが、使用する言語を韓国語に切り替えられると、このマルウェアは自動的に消滅する。

しかし、

③すぐには何も起こらない。

そして、

④半年くらいの月日が流れ、もはやターゲットもいつホテルに宿泊したのかさえも忘れた頃に、いよいよハッカーは動き出す。

⑤ハッカーは、遠隔から「バックドア」を用いてターゲットのパソコンに侵入し、内部のファイルをぐるっと巡り、このパソコンの所有者が企業幹部であるのかどうかの判断を行う。「これは重要な役職にある人物のパソコンだ」と判断すると、キーボードからの入力を監視して記録するソフトウェア（「キーロガー」と呼ばれるソフトで、所有者が何を打ち込んだのかが読めてしまう）や、より高度なマルウェアをインストールすることで、機

密情報などを盗み出す。キーロガーを仕掛けることで、普段のメールのやりとりだけでなく、**オンラインバンキングのパスワードなども盗めてしまう。**

ちなみに、入り込んだパソコンが重要な役職のものではないと判断されても、見逃すわけではない。

第2章「一斉に50万台の機械が乗っ取られ、アマゾンも大手SNSもお手上げ」で、ボット化したインターネットカメラによるDDoS攻撃について述べたが、一度入り込んだパソコンはボット化しておき、**「いつでもサイバー犯罪に使える道具」としてキープしておくのだ。**

このような手口は、2016年に日本でも見つかっている。三重県志摩市で開催された第42回先進国首脳会議（通称、伊勢志摩サミット）の時の、関係者の宿泊施設からだ。

2013年にスノーデン氏がNSAの内部文書を公表して以降、世界中がプライバシー問題について一層敏感となり、多くのサイバー犯罪が注目されるようになったが、実際のところ、これらはいずれもスノーデン氏が公表する前から続けられていたことである。

メディアで取り上げられていない時でも、マルウェアは、いつだって静かに潜伏しており、喉元を過ぎて熱さを忘れた頃に活動を開始するということを忘れてはならない。

日本では、東京オリンピックの開催に向けて、無料のWi－Fiスポットを増やしたり、Wi－Fiが使える宿泊施設、飲食店も増えたりしている。

ＩＴ化していく街のどこかに、既に罠は仕掛けられている……かもしれない。

「スマート化する社会」では、国家そのものをハッキングできる

都市がＩＴ化することで、様々なモノやコトが相互に接続し、利便性が向上しているが、これを「スマート化」という。

ドバイは、中東及び北アフリカにおける経済のハブとしてネットワークの中核になることを目指しており、そのため、２０２０年までに都市をスマート化し、２０３０年までには、ドバイを走る自動車の4台に1台が自動運転となるなどスマート・モビリティ（スマート化された交通社会）の実現に向けて動いている。そして既に、世界一大きなモールやビルを含む2万棟もの建物が、スマート化によって遠隔で相互に協調しながら制御できるよう接続されている。

しかし、これらを管理するシステムには「セキュリティ対策の施された開発」がなされていなかったことが、後々になって分かった。

ということは、ドバイの制御システムのコントロールを乗っ取ることができるということだ。もはや**自動車や飛行機だけではなく、都市全体がハッキングの脅威に直面している。**

どんどん増える！「自宅の家電がハッキングされている」ケース

このように大規模なスマート化だけでなく、家庭内のスマート化も急速に進んでおり、そこにも当然ハッキングの脅威は存在する。

インターネット接続が可能な冷蔵庫は、あなたに「今夜の晩ご飯の献立」をスマホアプリを通して提案してくれる。と同時に、あなたの知らないところで「金融商品を提案するメール」を誰かに大量に配信していたりする。

現代の冷蔵庫はただ食品を冷やすだけでなく、こんなに器用なことまでできてしまうのだ。ただし、「金融商品を提案するメール」は偽物であるが。

現代の冷蔵庫は、「今、どのような食材が庫内にあるかを把握」し、「インターネットから調理法のデータをダウンロードして、足りない食材を提案」し、「生鮮食品売り場を訪れたあなたに、何を買うべきか提案」するという頭脳を得た。さらに、メールサーバを機能させる性能まで持ち合わせるようになった（ちなみに、第2章「悪魔の遠隔操作は、こ冷蔵庫の多くもLinuxというOSで動くことによってスマート化を実現している。このLinuxは、インターネットに接続しているサーバの8割で使われている)。

第2章「技術的習熟度の低いハッカーでも『驚異的な収益』をあげられる時代、到来!」では、他人のサーバから無断で詐欺メールを配信する西アフリカのヤフーボーイズについて述べたが、同様の手口で、今や家庭の冷蔵庫までもがハッキングされ、フィッシングなどの詐欺メールを配信する手段となってしまっている。決してこれは、SF映画の中の話ではない。実際に、私もクライアントからの依頼で、**サイバー攻撃の発信源を追跡することがあるが、結果的に「スマート化された家電」に行き着く**ことも、2016年以降明らかに増加しているのである。

他に、ウォシュレットなどの温水洗浄便座もハッキングして遠隔操作できることが分かっている。温水洗浄便座のハッキングが人類にどのような未来をもたらすのか？　侮ったら痛い目を見る。「食品を冷やすだけだった冷蔵庫」でさえ、今や知能犯罪の片棒を担いでいるわけだから。

家電がハッキング、テロリストの資金源に!? スマート化で犯罪にもイノベーション

こうしたスマート化は、空き巣などの〝昔ながらの犯罪〟にもイノベーションを引き起こしている。

刑事物のドラマなどでは、家屋に侵入する前に、電力メーターが動いていないことを確認することで家主の不在を確認するという場面がよく見られる。

しかし今後は、「スマート化された玄関鍵」をハッキングできれば、事前に在宅状況を確認できるし、「スマート化されたエアコンや冷蔵庫」をハッキングすることで利用状況が分かれば、生活パターンを知ることができるので、一層安全な侵入が可能だ。さらに「インターネットカメラ付きのテレビ」をハッキングできれば、盗聴・盗撮も可能になるため、わざわざ侵入しなくても必要な情報を得られるかもしれない。

また、「スマートメーター」の普及が、サイバー犯罪をますます効率化する可能性がある。

各家庭や商業施設などには電力メーターが取り付けられており、電力会社は毎月の検針業務を通して料金の請求を行っていた。このメーターもスマート化が始まっている。検針員が各家庭を訪問しなくても、スマートメーターが使用量を自動計測し、遠隔からの送電

や停止も可能にしている。対応した機器を設置すれば、家庭内のエアコンの動作や温度設定なども制御し、省エネや電気料金の削減などにも貢献する。2016年までに、日本全国での普及率は3割に迫り、最も早く対応を始めた関西電力管内では、既に5割を超えている。

これが**どのようにサイバー犯罪を効率化してくれるのだろうか。**

スマートメーターをハッキングすることによって、エアコンや冷蔵庫を1台ずつ個別にハッキングする必要がなくなる。スマートメーターのハッキングは、効率良くそこに繋がる家電をハッキングできるからだ。

そうなると、身代金型マルウェアである「ランサムウェア」によるサイバー犯罪も可能となってくる。

例えば、猛暑日に、ランサムウェアで電力を停止させてしまう。そして、「電力を復旧してほしければビットコインで1万円を支払え」と要求する。

電力会社の電話はDDoS攻撃を受けていて、コールセンターには繋がらない。

10人に1人がその脅迫に応じて支払ったとしても、関西地方なら5割以上にスマートメーターが普及しているわけだから、**一括してハッキングしてしまえば一日で〝70億円の売**

り上げ〟も見込める。

一度バックドアを仕掛けておけばいつでも侵入できるので、夏の間中、週1回のペースで繰り返してみるのも良い。徐々に応じる人が減ったとしても、**一夏で200億円くらいは売り上げられるかもしれない。**

これは愉快犯による犯行だけとは限らない。**テロリストや悪意のある独裁国家による外貨獲得手段となるかもしれない**からだ。決して映画の中だけの話ではない。

実際、英国では2016年に、既に普及していた5300万台のスマートメーターから、「ハッキングを可能とする重大な問題」が発見された。現在日本で普及している台数の倍以上である。そのため、英国の諜報機関である政府通信本部（GCHQ）が介入して対応しなくてはならなくなった。GCHQといえば、米国ではスノーデン氏がかつて勤めていたNSAに相当する機関であり、CIA設立に際して多くのノウハウを提供した組織である。

さて、その重大な問題とは何だったのだろうか？

各スマートメーターと、それらを操作する装置との間では、通信が暗号化されるように設計されていた。しかし、データの暗号を解読するための鍵が全て同じだったのだ。

60組のＩＤとパスワードの組み合わせで、１３０万台以上のインターネットカメラやビデオデッキがハッキングされていることを既に知っているあなたは、もはや驚くこともないだろう。これが現実だ。

セキュリティへの無関心は、インフルエンザ流行中にマスクなしで出歩くようなもの

さて、インフルエンザが流行り始める季節になると、予防のために、日本ではマスクを装着して街を歩く人たちが増える。

余談だが、米国などでは、マスクを装着して外出するのは自身がウイルス性の病気に感染した時だと考えている人も多く、予防のために装着する習慣が少ない。そのため、海外の友人が冬の日本の光景に「ギョッ」とすることも多い。

ニューヨークにだって花粉症の季節はあるのだから、予防のためにマスクを装着するという習慣はもっと拡がってほしいものだと思っている。さらに余談だが、日本ほど肌触りの良いポケットティッシュに出会うことは多くの国では難しいことである。

インフルエンザになるとたいへんだということは多くの人たちが知っているし、流行り始めたらメディアで報道される。

サイバー犯罪も同様に、被害に遭うとたいへんだということについては何となく分かってきたし、メディアで取り上げられることの多さから、どうやら少ない話ではないと気付き始めている。

しかし、予防のためのマスクをする人はいても、サイバー犯罪に対する予防、すなわちセキュリティ対策について具体的に考えたことがある人は、まだまだ少ない。

今の日本人は、インフルエンザ（サイバー犯罪など）が流行っている季節に、人混みの中でマスク（セキュリティ対策）もしないで、深呼吸（ITの活用）をしているような状況だ。そして、体調が悪くなって（ハッキング被害に遭って）、初めて病院（セキュリティ会社などのIT企業）を探すのだが、健康であるという根拠のない自信のせいで、病院がどこにあるのかも知らない。

インフルエンザの診断をするためには、検査キットを使って鼻の粘膜を拭い、15分ほど待てば検査結果が分かる。しかし、サイバー犯罪の被害に遭った場合はそう簡単ではない。「ハッキングに遭っている」という自覚症状がないため、**被害事例のおよそ7割は、外部の誰かに指摘されるまで被害に遭っていることにさえ気付いていない。**

２０１４年に日本の通信教育会社で、３５０４万件４８６８万人分の顧客情報が漏洩した事件があるが、この時も、外部からの指摘で事件は発覚している。そして何より、インフルエンザの場合は処方された薬を飲み数日間安静にするという治療を施すことができるが、**サイバー犯罪には特効薬などない！**

医療機関は、ハッカーにとって理想的なカモ！

サイバーセキュリティ対策をインフルエンザ予防にたとえてみたが、医療記録や健康などに関する情報も、今やハッカーに狙われることが多い。

米国では、医療機関でセキュリティやプライバシーを侵害される事件が発生した場合、1996年に制定された「医療保険の携行性と責任に関する法律（HIPAA）」に従って、影響を受けた個人へその旨を通知することが義務付けられている。2016年に公表された数字によると、**セキュリティやプライバシーを侵害された事件の31％はサイバー攻撃によるもの**であった。しかもこの数字は、**過去3年間で300％も増加**している（米国医療機関において）。

上場企業の経営者や政治家などであれば、健康状態に関するネガティブな情報が流出してしまうことで、業績や出処進退に影響を及ぼす。

しかし、さらに怖いのは、情報漏洩よりも、むしろ情報が改ざんされてしまうことだ。血液型の情報が改ざんされてしまい、間違った血液を輸血されてしまえば生死に直接的に関わってくる。

医療記録一つで、クレジットカード10枚分の価値があるとさえ言われているのだ。

そして、2016年頃から、医療機関において顕著な動向として、「ランサムウェア」による被害が急増している。**医療機関の場合は、システムの停止が患者の生死に直結してしまうため、他業種に比べて身代金の支払いに応じやすい**と考えられているからだ。そのため、医療機関に対するサイバー犯罪については、ハッカーの間でも物議を醸している。

また、直接的に現金に結びつくあたりは、他業種を狙った「ランサムウェア」犯罪と同様である。

医療機関が「ランサムウェア」で狙われる大きなポイントは二つある。

一つは、第2章84ページ～で述べた航空管制システム同様に、医療機関内には新旧のシステムが混在して併用されており、古いシステムにセキュリティ上の修正プログラムを適用していないこともあるという点だ。自宅のパソコンを新しくすると、それまで一緒に使っていたプリンターが対応しておらず使えなくなることがある。医療機関でも、一部のプログラムだけを新しくしてしまうと、医療機器が動かなくなるということも起こりうる。

また、旧型のシステムや機器だけでなく、先進的な医療機器についてもセキュリティ対策が十分になされていない場合もある。

これらが相互に連携しているため、ハッキングしやすい箇所が多く存在するのである。

そしてもう一つは、日本において、医療機関の4割は赤字経営と言われており、セキュリティにまで十分な予算が確保されていない。そのため、セキュリティ対策も、職員に対する教育も不十分である。

オランダのプロフェッショナル・サービスファームであるKPMGによると、医療機関における「セキュリティ投資額」は、他業種の10分の1以下という場合もあるという。

このように、医療機関は、
①サイバー犯罪の実行者を喜ばせる情報やシステムを多く有していること。
と同時に、
②つけ入る隙が多いこと。
によって、ハッカーにとっての「理想的なカモ」となっているのである。

ハッカーが「どこ」を狙うか。ハッカーの心理

76ページで触れた脆弱性（ぜいじゃくせい）について、詳しく話したい。

2013年に、東欧のホワイトハッカーたちと共に120社の欧州企業に対して、ペネトレーションテストを実施した。

ペネトレーションテストとは、ネットワークに接続されているコンピュータシステムに侵入を試みることだ。そのシステムに脆弱性が無いかどうかテストする手法のことで、もともとは、防弾ベストが弾を貫通しないことを確認するテストを指す言葉である。私たちはこれを、略してペンテストと呼んでいる。

ホワイトハッカーたちと実施したペネトレーションテストでは、調査対象企業からの了承を得た上で、何万通りもの方法で48時間におよぶハッキングを試みた。その結果、調査対象企業のサーバが抱える「脆弱性」をあぶり出していった。

「脆弱性」とは、セキュリティ上の「弱点」を意味する言葉で、報道でも頻繁に用いられる非常に重要なキーワードなので覚えておいてもらいたい。

ここでいう「弱点」とは、プログラムのバグや不具合などの欠陥、設定の間違いなどに起因するものが多く、そもそも「セキュリティについて十分に考えずに作られてしまって

いる」ものもある。また、故意にそのようなものが作られ、出荷されている場合もある。

欠陥や設定の間違いはともかくとして、ハッキングに対して弱ければ「脆弱性」があると言えるため、**会社の同僚にセキュリティ意識の低い人がいても、それが脆弱性となってしまう。**

2013年に実施したペネトレーションテストでは、システム自体をインターネット経由でハッキングできるかどうか、その可能性について調査を実施した。

この時の調査で判明したことは、調査対象企業の8割において「8時間以内での対応で改善できる問題」が見つかったことである。

8時間以内での対応、すなわち1営業日で改善できるような〝プログラムのバグ〟や〝設定の間違い〟などをシステムに抱える企業が、8割あったということだ。もしあなたが「それくらいの不都合なら、たいしたことない!」と思ったとしたら、大いに問題だ。

なぜなら、〝ここ〟が原因で**いとも簡単にハッキングされてしまう可能性に、8割もの企業が直面している**ことを理解していない、ということになるからだ。

そして、さらに重要なことは、こうして見つかった「脆弱性」は、もはや**私たちだけが知っている特別な情報ではない**ということである。

「脆弱性情報」もしくは「vulnerability」というキーワードで検索してみてほしい。アプリケーションごとの脆弱性など、多くの情報を得られるだろう。こうした情報は、セキュリティ関連企業によって報告されることもあれば、その製品を開発したメーカー自ら公表することもあり、イメージとしては、自動車のリコール情報に近いかもしれない。

例えば、「自動車会社A（ア）」が販売した「Bという自動車（イ）」の「2017年式（ウ）」に、「時速100キロで走るとエンジンが燃える（エ）」という問題が見つかったとしよう。

その場合には、リコール情報にて対策方法も含めて公表される。「ダッシュボードの中のスイッチ（オ）」で「設定を変更（カ）」してくださいとか、「自動車ディーラー（キ）」で「対策済みの部品に交換（ク）」してくださいといった具合に、自動車のリコール情報が発表される。

これを、脆弱性情報に置き換えてみよう。「IT企業C（ア）」が販売した「Dというソフトウェア（イ）」の「バージョン1・0（ウ）」に、「外部からの情報改ざんが可能である（エ）」という問題が見つかりました。「管理画面（オ）」から「設定を変更（カ）」するか、「開発会社（キ）」に依頼して「最新のバージョン1・1に更新（ク）」してください

――となる。

話を戻そう。

このペネトレーションテストの事例から伝えたかったことは、セキュリティ上の問題があり、簡単な修正で改善できるにもかかわらず、対策を行っていない企業が8割もあったという事実である。

中には、問題を修正してしまうと何かの機能が使えなくなったり、既に保守契約が終了していたりするなど、何かしらの理由があって対策を行えていない場合も考えられるが、それが大半を占めるわけではない。

同じ時期に、米国通信企業ベライゾンが行った調査によると、**侵入されたサーバのうち97％は「侵入が難しくなかったから」という理由**が挙げられている（2012 DATA BREACH INVESTIGATIONS REPORT〈verizon〉）。

つまり、空き巣被害に遭った家が100軒あったとすると、97軒は簡単な鍵しか付いていなかったとか、ドアが開け放たれていたという状況でした……ということである。

そして、侵入が成功してしまうと、そこから先は、システムのどこにでも比較的簡単に出入りできてしまう。

これでは、いくら他のセキュリティ対策を頑張っても意味がないのだ。
ハッカーはまず、ターゲットの最も弱いところを探して攻めていく。
単純なパスワードを用いていれば、パスワードを推測して侵入。
セキュリティ上の問題が放置されていれば、脆弱性を利用して侵入。
組織にセキュリティ意識の低い人がいれば、うまく利用して侵入。
常に、脆くて弱いところを探しているのだ。

第5章では、サイバー犯罪の今後の展望について考察していく。

第5章　サイバー犯罪の展望、そして今後のアプローチ

「危険だらけの場所を、何も見えていないのに、猛スピードで疾走」している私たち

こうしてサイバー犯罪の事例を多く見てくると、我々は残念ながら、いつの時も「対症療法的」なことしかできていないことが分かる。

あらためてサイバーセキュリティについて考えたいのだが、ここでも再び、自動車をたとえにして説明したい。

例えば、あなたが夜中に自動車を猛スピードで運転し、帰宅しているところだとしよう。あなたはドイツ在住で、速度無制限のアウトバーン（高速道路）を移動しているという設定だ。

その時、超音波レーダーや暗視カメラなどによって、暗闇の中に人がいることに気付く。あなたはとっさにブレーキペダルを踏む。すると、自動車のコンピュータが瞬時に状況を判断し、自動車は安全な速度までスピードを落とす。暗闇の中にいる人を無事に避けることができた。

これは、「リスクがコントロールされている」と言える。

別の日の夜中に、あなたはいつもと同じように、猛スピードで自動車を運転して帰宅す

る。しかし、翌朝、いつもと異なることが起こる。警察があなたの自宅を訪れたのだ。どうやら、気付かないうちに、誰かを轢(ひ)いてしまっていたようだ。

これは、「リスクがコントロールされていない」と言える。

この場合にもし「リスクがコントロールされている」のであれば、万が一ブレーキが間に合わなかった場合でも、すぐに救急車を呼んだり救命活動を行ったりすることができる。

さて、現在の多くの人にとってのサイバーセキュリティとの付き合い方は後者である。危険だらけの場所を、何も見えていないにもかかわらず、猛スピードで疾走している。場合によっては、たくさんの他人も巻き込んでしまっている。いや、むしろ見ようとすらしていない。

なぜ、みんな、サイバー空間の安全性を、闇雲に信じてしまうことができるのだろうか。確固たる根拠はないはずなのに。

日経225のトップ企業でさえ、約4割がサイバーセキュリティを軽視している!?

2016年のNATOのカンファレンスにて、スペインのITコンサルティング企業・OIESコンサルティングが、興味深い調査報告を行った。

調査対象となったのはIoT機器の「利用者」。彼らのおよそ半数である48％の人たちが、「IoT機器には必要なセキュリティ対策が施されていると思う」と回答している。

しかし、同じ質問をIoT機器の「開発者」にぶつけてみると、驚愕の回答が得られた。**「IoT機器には必要なセキュリティ対策が施されていると思う」と回答した開発者は、たった10％だけだった**のである。すなわち、残りの**90％の開発者たちは、「現状のセキュリティ対策では不十分である」と認識している**ということだ。

作る側が10人に1人しか信用していないものを、使う側では2人に1人はなぜだか信用している。この歪さが、現代のサイバーセキュリティをめぐる、象徴的な縮図だ。

日本においても、セキュリティに対する意識は、各々で大きく差がある。

現在、東証一部上場企業は約2000社あるが、そのうち、各業界を代表するようなトップ企業、大企業の225社が「日経225」銘柄に登録されている。さて、この225社のうち、「有価証券報告書の《事業等のリスク》欄にサイバーセキュリティ・リスクに関する開示項目がある」企業がいったいどれくらいあるか、すなわち、いったいどれくらいの企業がサイバーセキュリティに対して危機意識を持っているのか、みなさんは予測がつくだろうか？

内閣サイバーセキュリティセンター（ＮＩＳＣ）が調査したところ、有価証券報告書内にサイバーセキュリティ・リスクに関する言及があったのは、２０１３年度で、２２５社中の１３６社。すなわち全体の60・４％だった。

日経２２５とは、言うまでもなく、日本の株式市場の代表的な株価指標である。構成する２２５社は**日本の経済動向に多大なる影響を及ぼす企業であるにもかかわらず、４割もの企業において、サイバーセキュリティに関するリスクへの言及がなされていなかったのだ。**

ちなみに、米国では、米国証券取引委員会（ＳＥＣ）の指導のもと、サイバーセキュリティに関するリスクの開示は事実上の義務として認識されており、既に各社での対応がなされている。

セキュリティ意識に関する各種の調査結果が誇張表現ではないということは、実際に、日本企業の経営者とお会いしても思い知らされる。

「うちの会社は大丈夫」という経営者がまだまだ多いのだ。そういう人になぜ大丈夫だと言い切れるのか聞いてみると、「うちにはファイアウォールがあるから大丈夫」と言うのだ。

もし10年も前に買ったファイアウォールを、そのまま置いているだけであれば、それは今頃サビついている。そして、ハッカーも、その攻略方法くらいは分かっている。セキュリティ製品を飾って拝んでいたところで、ハッキングは防げない。

もちろん、ファイアウォールがダメだと言っているわけではない。しかし、サビついて壊れてしまった鍵は、もはや鍵としての本来の働きをしない。古くなってしまったファイアウォールは、本来持っている「効用」の多くが棄損してしまっている。

ファイアウォールは箱型のものが多いので、何かの機械だと思っている人もいるかもしれないが、中身はソフトウェアで動いている。ソフトウェアという限り、後になってソフトウェアに脆弱性が見つかることもあるし、そのソフトウェアを継続的に適切なアップデートをしたりメンテナンスをしたりしていかなくては、本来の効果は発揮できない。

第2章93ページ〜でも、不正な侵入をゆるしてしまった大手小売業者について取り上げた。この時も、セキュリティ製品に適切な管理がなされていなかったことが、この事業者を〝被害者〟そして〝加害者〟へとしてしまった要因の一つであった。

ハッキングされると、企業はブランド価値が急落する

企業の話を持ち出されても、「個人だから」「勤めている会社は大きくないから」といった理由で、「自分には関係ない」と思う方もいるだろう。

しかし、それははっきり言って認識不足だ。私たちは、日常生活のあらゆる場面において、こうした企業のサービスや製品などを利用しながら生活している。万が一、これらの企業がハッキングされて情報漏洩が発生してしまうと、その時に流出してしまうのはあなたの情報に他ならない。

不買運動を推奨するわけではないが、**「適切な管理のなされていない企業」を敬遠することも、あなたがコントロールできるリスクの一つだ。**

実際、ハッキングの被害に遭うと、その企業は、企業のブランド価値や株価へも影響が出る。

２０１１年に、日本の大手ゲーム機メーカーにて情報漏洩事件が発生した。この時、マーケティング会社が実施する「ブランド力調査」での評価値は急落し、消費者が背を向けたということを如実に示していた。

本書の中で取り上げてきた〝事件〟の多くは、残念ながらファイアウォールだけでは防ぐことができない。「適切な運用をされていた」としてもだ。

だったらファイアウォールを取っ払ってしまえばいいのか？　というと、そうではない。

ファイアウォールが守ってくれているハッキング手法もあるからだ。

とにかく、「うちはセキュリティ対策を行っていますよ」という企業でも、まだまだ適切な対策が取られていないということは、往々にしてあるのだ。


そもそも、多くのケースで、**ハッキングで狙われているのは「何」なのか？**

それは、**システムの中の「ウェブアプリケーション」と呼ばれている部分だ。**


「ウェブアプリケーション」について解説しよう。

「ウェブアプリケーション」というものがあることによって、あなたはウェブサイトで買い物ができたり、ブログを書いたりといったことができ、インターネットが魅力的なモノとなっているのである。


しかし、この「ウェブアプリケーション」は、ファイアウォールでは守ってもらえない。

米国の調査会社ガートナーとセキュリティ専門家によって組織されている非営利団体・OWASPが、ハッキングの75％において、このウェブアプリケーションが狙われているという調査結果を公表している。さらに同じ調査で、驚くべき数字が出ている。

ハッキングの75％がウェブアプリケーションを狙っているということが明らかになって

いるにもかかわらず、驚くべきことに、企業のセキュリティ予算全体のうち、「ウェブアプリケーションを守る」ことに割り当てられている額は、全体の10％だというのだ。

いったい、残りの90％の予算は、何に使われているのだろうか？　単純計算で「4回に1回」の確率で攻められている箇所を守るために、割り当てられてしまっているのだという。すなわち、ハッキング被害の25％しか狙われない場所への対策に、予算の90％が使われているのである。

ハッキングを防ぐための、何かいい手立てはないものだろうか？　実は、**ウェブアプリケーションを守るための「ウェブアプリケーション・ファイアウォール（通称、WAF・ワフ）」というファイアウォールがある。**サイバー犯罪を犯す側からすれば、こんな言葉は知らないままでいてほしいところだろうが。

我々は、今後ますますリスクをコントロールしていかなくてはならない。そのためにも、適材適所でのセキュリティ対策をしていく柔軟性が必要だ。

ハッキング時代の〝勝者〟になるために、既成概念にとらわれない

「天才に必要なのは、1％のひらめきと、99％の汗だ」

という、発明家のエジソン氏（トーマス・エジソン・1847年〜1931年）による言葉がある。ちなみに、原文はこうであるとされている。

"Genius is one percent inspiration, 99 percent perspiration."

この名言の解釈はいくつかあるようだが、「99%の汗」というのが、〝単純に根性論を勧めるだけのものではない〟という考え方に、私も一票投じたい。「天才と言われる人も、ほとんどが努力の結果だ」というニュアンスに捉える人が多いようだが、私は、「1%でも〝ひらめき〟がなければ、新たな発想は生まれない。そして、そのためには発想の転換が必要である」というメッセージだと受け止めている。

ホワイトハッカーであってもブラックハッカーであっても、彼らは、間違いなく世界でトップクラスに創造的な人たちである。

彼らの考え方を〝理解する〟、もしくは彼らに〝対抗する〟には、既成概念にとらわれない発想が必要である。

英語では"Think outside of the box."という慣用句を用いるが、箱の外からも眺めてみることが必要である。

理論物理学者アルベルト・アインシュタイン氏も、「問題が生じたのと同じ思考パターンの中で、その問題を解決することはできない」との名言を残している。

これまでと同じ道を歩いている限り、新たな発想は生まれない。

そして同時に、**新たな発想を求める時にこそ、基本に立ち返る必要がある。**

米国の起業家イーロン・マスク氏（スペースX、ペイパル、テスラ・モーターズなど）は、米国物理学会誌でのインタビューにおいて、「新しい地平を切り開いたり、本当の意味でのイノベーションを起こそうとしたりする時には、基本原理からのアプローチが必要になる」と述べている。

この言葉を、サッカーの試合に置き換えてみよう。

選手としてフィールドに立ち、ボールを追っている視点。

監督として試合全体を見渡している視点。

観客として、サッカー場全体を見渡せる場所から俯瞰している視点。

柔軟な発想を行うためには、これらの三つの視点を縦横無尽に使い分けて物事を捉えることが求められる。

この視点を「物理学」と「化学」で説明することもできる。

「物理学」とは、物質をどんどん細かくしていく学問。

「化学」とは、物質の多様性に目を向ける学問である。

物理学や化学が得意な人たちは、ホワイトハッカーにもブラックハッカーにも向いていると私は考えている。

イスラエルや韓国、シンガポールなどでは、セキュリティをはじめとした先進的な情報技術を持つ企業や技術者も多い。もちろん国の政策なども関連しているが、これらの国に共通していることの一つに、**徴兵制がある。**戦争の脅威に直面しているがゆえに、情報技術への取り組みも真剣さが違う。そんなわけで、特に物理学や化学、数学などの教育に力を入れていることが多い。

また、1990年代にユーゴスラビア紛争に直面していたセルビアも、物理学、化学、数学への教育に力を入れてきたので、優秀な技術者が多い。首都ベオグラードには、数学専門の大学もある。

ここで述べたいのは、戦争の賛否ではない。何かしらの理由があって物理学、化学、数学に注力してきた国では、多くの優秀な技術者が輩出されているという事実であり、これらの学問で身につけられるアプローチが、サイバー空間でのビジネスにおける新たな発想を生み出していると考えられるからだ。

そういった国から後れをとっている私たちがすべきことは、何だろうか。

まず、「サイバー空間での出来事」を、「現実世界の出来事」に変換して考えることだ。サイバー空間で起きていることは、直接目で見たり手に触れたりできないため、イメージすることが難しい。イメージすることが困難であるため、多くの場合、考えることも放棄してしまっている。そこで、本書ではなるべく多くの出来事をイメージしやすいように、現実世界の出来事に置き換えて説明するよう努めてきた。

今や、遠隔医療など高性能な医療機器を用いた手術を行うためには、これまでの「医学に関する知識」に加えて、テレビゲームでキャラクターを自由自在に操る時のような能力が必要とされている。

Ｆ１レーサーなども「テレビゲームが得意な人のほうが有利になっている」と、レーシング・ドライバーのジェンソン・バトン氏から聞いたことがある。実際に、サーキットを走ってトレーニングをする時間よりも、シミュレータを用いて擬似的に作られた環境でトレーニングする時間のほうが多いらしい。Ｆ１に限らず、１９９０年代以降に生まれたレーシング・ドライバーには、運転免許を持っていない人もいる。それどころか、レースゲームの経験だけで実際の自動車レースに参戦し、素晴らしい結果を残している選手もいる。

サイバー犯罪の世界でも、「サイバー空間での出来事」と「現実空間で起きていること」との間を柔軟に頭の中で変換できている人たちのほうが、一歩抜きん出ているように思う。

サイバー犯罪の時代にあって、「既成概念にとらわれない柔軟な発想」と「基本に立ち返ること」を両立させ、その間を、自由自在に行き来しなくてはならない。

欧米では、高校生に人気のサイバーセキュリティ業界

毎年、幕張メッセや東京ビッグサイトなどでは、ＩＴ関連の展示会が開催され、多くの来場者が訪れている。会場を埋め尽くす大半は、スーツ姿のシステム担当者だ。

私はこれまで、継続的に英国やドイツなどで出展や視察を行ってきたが、欧州の展示会と日本の展示会とでは、多少様子が違う。欧州でも、大半は日本と同様、スーツ姿のシステム担当者である。しかし、**日本よりも欧州の展示会場のほうが、経営者の姿を見かけることが、圧倒的に多い**。そればかりか、非ＩＴ業界の経営者であっても、サイバーセキュリティについて非常に詳しく、的を射たやりとりとなることが多い。

また、**サイバーセキュリティは国防にも関わる**ことなので、エアバスなどの軍需企業も、

大きなブースを構えて出展している。会場では、軍関係者が、場合によっては軍服姿で会場を訪れ、熱心に企業のプレゼンテーションを聞き入っている光景も目にする。

ドイツのニュルンベルクでは、毎年サイバーセキュリティ専門のイベントが開催されている。サイバーセキュリティ専門とはいっても規模はなかなか大きい。サイバーセキュリティ関連企業だけが欧米から400社以上も出展している、業界でも有数のイベントだ。出展するためのブースを確保するためには、一年近く前から申し込んでおかないと難しい。

この展示会で、私は日本と決定的に異なる光景を目にしたのだ。

平日の日中に開催されているにもかかわらず、会場で高校生の姿を多数見かけるのだ。彼ら・彼女らは、出展企業のブースを回り、資料を集め、企業担当者の説明を熱心に聞いていた。しかも、みんな洗練されたイマドキの高校生たちだ（〝パソコンマニア〟への偏った先入観を持っている人がいたら、その真逆である）。

出展のために会場を訪れていた私は、隣のブースに出展していたドイツ人技術者に尋ねた。

「彼らは高校生だよね？　今日は学校があるはずなのに、ここに何をしに来ているのだろう？」

すると、彼の答えはこうだった。

「彼らは、就職する企業を検討するために、この会場を訪れているんだ。そして、各企業の説明を聞いて、それらの企業に就職するためにはどのようなことを学ぶべきなのかを尋ねている。『大学では、どの学科に進学すれば良いのか』といったアドバイスなんかも求めているんだ。さらに、今年の冬休みにインターンで採用してもらうための交渉も、この場で行っている」

私は驚いた。

日本では、このような光景を目にしたことがない。もしかしたら、既に似たようなことは起こっているのかもしれないが、目に見えて気付けるほどには起こっていない。

会場にいる若い彼ら・彼女らと、5年後には、パートナーとして協業しているかもしれないし、競合となっているかもしれない。

いや、もしかしたら、彼ら・彼女らは、「スター・ウォーズ」のダース・ベイダーのように、ダークサイドに堕ちるかもしれない。**サイバービジネスでの収入だけを求めれば、残念ながらダークサイドに堕ちたほうが、割が良い**からである。

サイバー空間は、〝地政学〟上での変化も大いにもたらしていく。この高校生たちが、日本にいるあなたに対しても何かしらの影響を与えていくことは、十分ありうる話なのだ。

セキュリティ事業の深刻さ

英国では2014年より、プログラミングが義務教育に導入されているが、日本でもいよいよ2020年から導入される。

まだ日本の子どもたちの間では、「セキュリティ技術者」という職業は人気がないようだ。そもそも、そのような職業があるということも知られていないだろう。

5年後には、ユーチューバー（動画サイトのユーチューブで、自作動画を公開している人たち。小学生の将来なりたい職業ランキングにも顔を出している）と並ぶ人気職業となっていてほしいものである。

ちなみに、経産省によると、**セキュリティ事業に従事する人材は、あと13万人足りない。**

もしあなたが今、就職や転職などを考えているのであれば、サイバーセキュリティについても考えてみたほうがよい。最先端の人工知能技術などにも触れることができるし、スーパーマンやバットマンのようなヒーローにだってなれる可能性もある。老若男女問わずこんなにワクワクできる仕事も珍しいはずだ。年齢問わず、今から始めても遅くはない。

また、13万人を育成している間にだって、サイバー犯罪は、増加の一途をたどっていく。喫緊の課題として人材不足を補う方策は別途必要な状況である。

そのためにも、人材育成と共に、第4章(165ページ~「『高精細化した画像+人工知能』が、国防やテロ対策に使えると同時に、悪用も!?」)で述べたような先端技術を活用していく必要がある。

既に、セキュリティの監視を効率良く行うために、技術者の業務支援を人工知能で行うシステムは登場しているが、今後は本格的な人工知能などの活用も望まれる。

そしてその時には、おそらくハッキングをする側も人工知能の力を借りており、さらに一歩抜きん出ていることだろう。

サイバーセキュリティ企業に、投資家は注目している

海上自衛隊イージス艦の艦長にお会いしたことがあるのだが、その時、ソマリア沖での海賊掃討作戦の体験をお聞きした。

海賊掃討作戦は国際協力で行われたのだが、そこで各国の特徴が出たらしい。日本は、海賊に対して威嚇の放水にとどめたが、ロシアは、降参して逃げる海賊を沈没するまで撃

ち続けたという。

どちらが良い悪いという話ではない。同じ目的を持っていたとしても、様々な価値観やメンタリティの人たちが存在している。当たり前だが、**サイバー空間でも、様々な価値観やメンタリティの人たちが存在している。ただし、サイバー空間であるがゆえに、それぞれの距離は縮まっているということを理解しなくてはならない。**

対岸で燃えているように見えても、もはや対岸の火事ではないのだ。

前述のとおり、サイバーセキュリティにおいて、人材が不足している。すなわち、**サイバーセキュリティの世界では、仕事も人材も需要が大きいのである。**そしてその一方で、**〝セキュリティ対策の供給〟が圧倒的に不足している。**

このことが、サイバーセキュリティ関連企業への〝投資〟を加速させている。**サイバーセキュリティ関連ベンチャー企業への投資は、世界中で活況を呈している。**2009年に83件あった大型投資は、2013年には3倍の240件にまで増加し、その5年間で投資された金額は、計52億ドル（およそ4700億円）にのぼる。

また、サイバーセキュリティ関連企業の買収も積極的に行われており、2013年には、米国の通信機器メーカーであるシスコシステムズが、米国のセキュリティ企業ソースファイアを27億ドル（およそ2700億円）で買収した。2006年に、グーグルによるユーチューブ買収が〝大型の買収案件〟として大いに注目されたが、シスコシステムズの買収額は、グーグルの時のおよそ1・5倍くらいの規模である。**サイバーセキュリティ関連企業の買収規模は、とにかく大きい。**もちろん、この日本においても、サイバーセキュリティ関連の大型買収案件は、増加傾向にある。

さて、企業として、人材の確保ができ、必要な技術や機器の調達も無事に行うことができたとなると、次に課題となることは「安定した運用を行っていく体制」である。

実はこの負担がとても大きい。

500人以上の規模の会社でセキュリティ製品を管理するためには、社員は週20時間〜60時間を、その対応に割かなくてはならない――ということが、米国の調査会社・451リサーチの調査で分かっている。週5日勤務でならすと、一日あたり4時間〜12時間相当の作業が必要になるということだ。この作業をするためには、フルタイムで従事する社員が、3名から5名必要となる。この〝人件費〟で、企業の「年間IT予算」の4割が使い果たされてしまう。

しかし、現実的には、ここまでの対応を行っていくことは難しいだろう。サイバーセキュリティのために、十分な学習や経験のある社員を何人も雇い、その業務に何十時間も費やす必要があるということでは、企業の負担も非常に大きい。

そんなこともあって、サイバーセキュリティが余計に敷居の高いものであると感じられ、もはや手をつけることを諦めさせてしまうのでは……と思ってしまう。

経営者、サイバーセキュリティの責任者のみなさんへ

そこで、私からの提言である。

経営者、もしくはサイバーセキュリティの責任者は、まず「守るべきものが何であるか」を明確にすることだ。このことは、個人のパソコンやスマホでも同様である。

そして、企業全体として、サイバーセキュリティに対する意識と認識を高め、最低限の知識を備えるよう努めるべきである。

私は、**具体的なセキュリティ対策については、サービス化されたものやアウトソーシングを徹底的に活用していくべきだ**と考えている。

セキュリティサービスを提供している事業者や、アウトソーシング先というのは、複数企業での経験が蓄積されている。ノウハウや事例の宝庫である。欲しいのは、まさしく

〝それ〟だ！　**外部のサービスやアウトソーシングを利用すれば、自社単体で対策をするよりも、幅広い知見と具体的な方策を得られる。**また、彼らを通して、同業他社の実情が分かれば、自らに不足しているところも浮かび上がってくる。

これを、自分たちだけでやっていこうとするのは、非常に難しいし効率が悪い。

15年ほど前に、とある世界的なデータベース企業のCEOから教えてもらった話がある。

例えば、赤いロゴマークの航空会社と、青いロゴマークの航空会社があったとしよう。

……あくまでもたとえ話だ。

赤い会社と青い会社が、それぞれ1億円ずつの予算で、会計システムをシステム開発会社に依頼したとする。当然、そのコストは、利用客の航空券価格に転嫁される。

航空会社の会計システム開発が飛行機の乗り心地に直接的に反映されるかというと、それはありえない。もちろん「業務効率が改善されることで対応が良くなる」などの改善は見られるかとも思うが、航空機による移動という〝本質的な価値〟に、会計システムは直接的な影響を及ぼすことはない。また、会計システムの出来不出来によって、競合他社に対する圧倒的差別化を図れるのかといえば、その差は軽微なものであろう。

であれば、この2社がそれぞれ予算の半額の5000万円ずつ支払って、一つの会計システムを開発依頼し、そのシステムをそれぞれ利用したほうが、顧客にとっても良いのではないだろうか。

もちろんこれは単なるたとえ話であるし、システム開発会社からすれば1億円ずつで売れたほうが良いのだから、異論はあるかもしれないが、本質はそこではない。

サイバーセキュリティというのは、どんなにお金をかけても**「直接的に売り上げに貢献してくれる」ものではない**。ゆえに、セキュリティ対策への投資は敬遠されがちなのである。

しかし、「専門家によるサービス」や「アウトソーシングの活用」が、その敷居を下げてくれる。しかも、そこに蓄積されたノウハウや事例が、セキュリティレベル向上を確かなものにする。

〝それなりのこと〟だったら自社でも多少はできるかもしれないが、同じレベルのことを全て自前で行うと、コストは莫大になる。

以前、欧州でのとある会合で、防衛省を代表して来ていた男性と隣りあわせたことがある。その時、彼に、次のように尋ねた。

「防衛省は、サイバー空間において重要な役割を担うわけですから、サイバーセキュリティに関して、私たちのような専門家にもっと頼っていかなくてはならないと思うのですが、いかがでしょうか？」

すると、予想だにしない衝撃の答えが返ってきた。

「だってパソコンでしょ？」

余計なお世話だとでも言いかねない表情に、私は絶句してしまった。

この方に限ったことではないと思う。ふと漏らした「本音」なのだと思うが、これが、日本人の代表的な意識なのだ。

一人一人がサイバーセキュリティに対する意識を上げていかなくては、いつか取り返しのつかないことが起こる。

そして、対岸だと思っていた火事は、もうすぐそこまで迫っている。

日本とは差がありすぎる!?　IT先進国の高い意識と、柔軟さ

軍関係者ら100名以上が参加しているNATO主催のパーティーに、真っ赤なパーカーを着て出席してしまったことがある。

いや、もともとはスーツを着て参加する予定であったのだが、会場となったエストニア

の首都タリンまで、飛行機を2回乗り継ぎ20時間以上掛けてたどり着いてみたら、スーツケースが途中の空港に置き去りとなってしまっていたのだ。

そこでやむなく、寒い機内で20時間以上着続けていた真っ赤なパーカーのまま、機関銃を構えた兵士に守られた物々しい雰囲気のパーティー会場を訪れることとなった。

会場を訪れると、軍服姿かスーツ姿の軍関係者らがほとんどで、真っ赤なパーカーを着ているような者など私以外に誰もいない。しかも、日本人は欧米では実年齢よりも若く見られることのほうが多いため、もはや誰かの息子!?　くらいに思われていたのかもしれない。

その時、グラス片手に「君は天才なのか?」と私に話しかけてきてくれたのが、ワシントンDCから訪れていたJ氏である。ホワイトハウスのサイバーセキュリティ責任者を歴任された方で、彼の著書はNATOの教材にもなっている。

私は反射的に「多分ね」と返したところ、面白がってくれた。そして、パーティー会場中、私を連れ回して、各国の軍関係者に紹介してくれた。

さすがはシリコンバレーの国からやってきた人である。私が、その場で大いに〝浮いて〟いても、抵抗がなかったのだろう。その後の私の繋がりにおいて、この時の出会いは大きい。

先ほどの、日本の防衛省の役人の意識の低さと比べて、大きな差を感じてしまったことは、否めない。

ということで、米国での最近の例を挙げてみよう。

米国の多国籍コングロマリット企業・ゼネラルエレクトリック（通称、GE）は、エジソンが設立した電気会社が発祥となっていることでも有名である。その子会社であるGEアビエーションは、世界最大の航空エンジンメーカーであり、同社のエンジンは、ボーイング製旅客機などに採用されている。旅客機のエンジン横に、筆記体風のロゴで「GE」と書かれているのを目にしたことがある方も多いのではないだろうか。それこそ、GEアビエーションのエンジンである。

航空機が遅延すると、航空会社にコスト面での負担が発生する。そして、乗客にとっても、スケジュールの変更や滞在の延長など、多大なる負担が生じる。

このGEが提供しているのが、飛行中のエンジンの状況をリアルタイムでモニタリングすることによって、目的地に到着する前に「トラブルの発生箇所」や「メンテナンスの必要な箇所」を把握できる仕組みだ。これによって、整備時間の遅滞を抑え、より一層の定時運行を目指すことが可能となった。

　また、マレーシアの航空会社・エアアジアでは、この仕組みを活用することによって、年間で１％の燃料消費量削減へと繋がり、コスト面だけでなく環境面への貢献も大きいと言える。

　このように、海外の航空会社では、**円滑なオペレーションのために、エンジンメーカーでも、ＩＴへの取り組みに真剣なのだ。**

　もはや、「大きなデータの塊が飛んでいる」のが、飛行機なのだ。

　ちなみに、この１基のジェットエンジンに搭載されているセンサーから出力されるデータの量は、１時間あたり10テラバイト（＝１万ギガバイト）にものぼる。ＤＶＤなら、およそ２１００枚分に相当する量のデータである。iPhone7の２５６ギガバイトモデルで計算すれば、39台分に相当する。

　空の上を移動しながら、これだけ膨大なデータが毎時間出力されているのだが、実際には、多くのデータを捨てている。ここでデータを活用する目的とは、異常を検知することであるため、正常な値を示したデータは不要だからだ。そこで、正常な値を示したデータは、順次捨てられているのである。

もし、正常な値を示したデータも全て蓄積し、解析を行うことができたらどうだろうか。そこからさらに別の価値を生み出すことも可能となってくる。そのためにはより高性能なコンピュータなどが必要となってくるため、今はまだ実現されていないが、近い未来に、きっと実用化されるのは間違いない。

地球上のデータ量は、増える一方

ここで、地球上全体で生成されているデータ量について考えてみよう。

2016年時点で、年間に生成されているデータ量は16兆ギガバイトであった。そして、2025年には、10倍の160兆ギガバイトになると予想されている。

——と言われても実感が湧かないかと思うので、歴史と共に振り返ってみよう。

15世紀にヨハネス・グーテンベルクが活版印刷技術を発明してから、欧州では15世紀の間に8500点の書物が出版された。この8500点の書物が、すなわち「当時生成されたデータ」だと考えられる。

カリフォルニア大学バークレー校が2000年に行った調査をもとにして、これを〝データ量〟に換算してみると、70ギガバイトの情報量に相当する。これを、当時の欧州人口

８０００万人で割ると、一人あたり０・０００００８８ギガバイトを持っていたことになる。あくまでも単純計算だが。

２０１６年には72億人いる世界で16兆ギガバイトなので、一人あたり持っているのは２２２２ギガバイトとなる。

このわずか**５００年の間に、私たちを取り巻く世界中の情報量は２０００億倍くらいに増えている**ということだ。

ちなみに、２２２２ギガバイトがどれくらいかというと、２５６ギガバイトのiPhoneと、５１２ギガバイトのパソコンと、１５００ギガバイト程度のストレージ（記憶装置）が搭載されたテレビを合わせれば、概ねこの数字には近くなる。データに囲まれた生活をしているので、なんとなく実感が湧くのではないかと思う。

とにかく、これだけ膨大なデータの中で私たちは生きている。

そして、このデータを利活用することで多大なる利便性を享受しているのだ。

だが、これは同時に、ハッカーたちにとっても「大きな富を享受できる社会である」ということだ。

データを〝金脈〟に見立てれば、かつてのゴールドラッシュの再来と言えるかもしれない。

サイバーセキュリティ保険の有用性

世界的に有名な、あるロックバンドのライブを観るためにラスベガスを訪れた飛行機内でのこと。私の後ろの席に、そのバンドメンバーの一人が座っていた。てっきりプライベートジェットで飛び回っているものだろうと思っていたので意外だったのだが、楽屋を訪れた際に聞いてみたところ、私が見かけたメンバーは、前妻への慰謝料が莫大だったため、他のメンバーのようにプライベートジェットは持っていなかったということだった。

莫大な補償といえば、自動車の場合がそうだ。製造者・利用者共に、万が一のことがあった場合には、莫大な補償を伴うこととなってしまう。

自動車保険自体は従来より存在しているが、最近の自動車保険はかなり進化している。というのも、自動車から吐き出される膨大なデータを活用し、保険会社自身がこれまでに蓄積してきた膨大なデータとを掛け合わせることによって、より細密な計算を行い、「自動車保険商品」を提供するようになってきたのである。

しかし、自動車保険は、自動運転の普及によって市場規模の縮小が予測されており、業界内では「10年後には市場規模が半分程度になるのでは」という懸念もある。そのため、**保険業界でも、次の市場としてサイバーセキュリティへの注目が高まっている。**

米国のアメリカン・インターナショナル・グループ（通称、ＡＩＧ）や、英国のロイズ・オブ・ロンドンなどがこの分野に注力しており、**重要インフラに対するサイバーセキュリティ保険の提供**も行っている。

日本では、損害保険ジャパン日本興亜（通称、損保ジャパン）が、企業に向けたサイバーセキュリティ保険の積極的な展開で、存在感を示している。

ここで、具体的な数字と共に考えてみよう。

例えば、10万件規模の情報漏洩が発生したとする。関係者に対して、「お詫び」と「結果報告」の通知文書を2回ともハガキで発送した場合、切手代だけでも10万件×62円×2回で1240万円の費用負担が発生する。当然、そこには補償も含まれていないし、印刷費用やハガキ代も含まれていない。

これに付随して、事件の調査、システム等への応急処置、問い合わせに対する広報やコールセンターの設置と運営、また事故後の信頼回復……と、様々な対応が求められるゆえに、さらに莫大な費用が発生してしまう。

そこで、サイバーセキュリティ保険商品には、企業財務の平準化を目的とした「事故発生時の経済的損失補てん」と「企業の信頼回復、損失回避のサポート」といった主に二つの機能が要求されてくる。

自動車の場合であれば、公道で走行する際に加入が義務付けられている「自賠責保険制度」というものが存在している。

自動車が世の中に出てきた当初は、ごく一部の層（＝裕福な層）しか使用していなかったため、事故時は自費で補償することができた。しかし、その後の普及に伴って、事故の加害者が必ずしも経済的余裕があるとは限らなくなり、被害者救済の観点から自賠責保険の義務化に迫られてきた。

サイバーセキュリティも同様に考えなくてはならない。サイバーセキュリティに関するリスクが企業規模の大小にかかわらず存在する現代において、その補償についても考えていく必要がある。

ただし、各種サイバーセキュリティ保険の約款を確認してみると分かるが、サーバやストレージ（記憶装置）などに対して有効なセキュリティ対策が設けられていなかったり、ネットワークを構成している機器や設備の能力を超えたりしたことによって生じた事件・

事故については「補償されない」とされていることがほとんどである。

つまり、**保険に加入するための前提条件として、「セキュリティ対策を既に行っている必要がある」**ということである。

健康を害してから医療保険や生命保険などに加入しようとすると、保険料が割高になったり、加入自体が拒絶されたりすることもあるのと同様だ。


商品の多くが、「セキュリティ対策」という概念のないまま生まれている

そこで、企業としては、**「万が一の場合は、保険での補償を得る」ための準備をしつつ、「より少ない費用でセキュリティ対策を行う」ための方法を考える**しかない。

そして、より少ない費用でセキュリティ対策を行うためには、**「システムの設計段階からセキュリティについて考える」**ということになる。

なんだ、当然のことではないか！　と思われるかもしれないが、その当然のことができていないのが実情である。

世の中に出回っているシステムやインターネットに繋がる機器を見ていくと、セキュリティ対策のための「更新ができない」もしくは「更新しづらい」仕様となっているものが意外と多い。その結果、セキュリティ対策ができない。万が一、このようなものが、企業内や取引先のどこか一箇所にでも存在してしまうと、そこから不正に侵入されてしまい、あとは企業内のネットワークを自由自在に動き回られる、ということになる。

そもそも世の中に出てきている製品の多くが、**「セキュリティ対策」という概念のないままに出てきているのだ。**そして、このことは、企業向けの製品だけではなく、家庭向けの製品にも言えることである。

なんと、一つの商品において、セキュリティ対策を後付けで行うよりも、**最初からセキュリティ対策を考えて設計を行えば、そのコストは「100分の1」で済んでしまう**というのが、今やシステム開発現場でも認識されている常識である。

セキュリティ対策を行ったところで、売り上げに直接的な貢献をするわけではないが、**セキュリティ対策を怠ったことで、売り上げに直接的なダメージを与えることはある。**

安全ではない自動車を好き好んで購入する消費者はいないのと同様に、自分自身の情報がいつ漏洩するかも分からないような企業のサービスを利用する消費者もいないはずだ。

バカな味方は敵より怖い

最近、一部のウェブサイトで、今までと異なるメッセージが表示されるようになっていることにお気付きだろうか？

画面上下のどこかに、「このウェブサイトにはクッキーを使用しています。クッキーの詳細及び無効化については、当社のプライバシーポリシーをご覧ください。ウェブサイトの閲覧を続行するには、クッキーの使用に同意していただく必要があります」といった主旨の3行〜5行程度のメッセージが表示されているのを見たことがあるはずだ。

欧州を本拠地とする企業が運営しているウェブサイトであれば、間違いなく全てで表示されており、それ以外の地域の企業であっても、日本語のウェブサイトか英語のウェブサイトかを問わず、同様の主旨のメッセージが表示されている。

当然ながらここでの「クッキー」とは、焼菓子のことではない。

日頃から、ネットに親しんでいるあなたは、同じウェブサイトを二度目に訪れたら、既にログインされていたり、通販サイトからいったん離れて再び戻ってきてもショッピングカートの中身は保持されていたりする……なんてことを経験していると思う。このように、ウェブサイトが利用者を識別したり、パスワードを覚えてくれていたりといったことを実現するために使われている技術を、「クッキー（cookie）」と言う。

つまり、クッキーがあると利用者を追跡できるため、利便性と同時に、プライバシーに関する懸念も常に付きまとうことになるのだ。

あなたが訪れるウェブサイトでは「クッキーの使用への同意」について尋ねられる機会が増えていくため、この言葉は覚えておいたほうが良いだろう。

このように覚えておけば思い出しやすいかもしれない。グリム童話の「ヘンゼルとグレーテル」で、ヘンゼルがパンくずを落としながら歩くことで、もと来た道を戻ることができたという場面がある。クッキーも、くずを落としながら歩けば追跡できるということで思い出せるかもしれない。

話を戻し、なぜ最近はこのようなメッセージが表示されているのかということを説明しよう。

その理由は、EUのプライバシーに関する法律（通称、PECR）にて「ウェブサイトでクッキーを使用している」旨を明記しなくてはならないと定められているからである。

そして、「なぜクッキーを利用しているのか」ということをウェブサイトへ訪れた人に対して明記し、その利用についての同意を得なくてはならない。当然、この同意を得るための通信も、セキュリティ対策が施されていなくてはならない。

つまり、ウェブサイトを訪れた人のプライバシーをしっかり守りましょう。そして、利用者を識別できるような仕組みをウェブサイトで使用している場合は、その旨を明記しましょう。ということである。

欧州では、このようなプライバシーに関する規則は非常に厳しく、日本の自動車メーカーであるホンダは、２０１６年に行われた英国情報保護局の調査によって、１３０００ポンド（およそ１９０万円）の罰金が科せられてしまった。この事例は、欧州でのプライバシー問題が、日本で考えている以上に重要視されていることを物語っている。

ホンダでは、保有している顧客のメールアドレスの中で、マーケティング・メールの受け取りを希望する人と希望しない人との区別が明確にはなっていなかった。そこで、「ホンダからの情報を受け取ることを希望しますか？」という主旨のメールを、保有している顧客のメールアドレスに宛てて送付することにした。

すると、この行為自体が一つのサービス提供であるとみなされてしまい、罰金を科せられることとなってしまったのだ。

卵が先か鶏が先かといった話のようであるが、情報保護局側の主張としては、「顧客が将来のマーケティング・メールを受けたいかどうかの確認メールを送ることには、顧客への事前同意が必要なマーケティングの一つである」とのことである。ホンダとしては、保護法遵守に取り組んでおり、その一環での行動であると抗議したが、情報保護局によって、この主張は却下された。

２０１８年5月までに、ＥＵ一般データ保護規則（通称、ＧＤＰＲ）への完全対応が義務付けられており、欧州に拠点のない日本企業など対しても、制裁金を科すなどの厳しい規則が適用される。

例えば、日本企業のウェブサイトをＥＵ域内及び対象国内の利用者が閲覧し、その個人情報が適切に取り扱われていない場合には、全世界での年間売上高の４％以下もしくは２０００万ユーロ（およそ25億円）の「いずれか高いほう」が、日本企業に対しても制裁金として科せられる可能性がある。

また、万が一、情報漏洩などの事故・事件を発生させてしまった場合、米国では被害に遭った事実を30日以内に公表する義務がある。日本のように周りから言われて気付き、図書カードを配って終わりというわけにはいかなくなっている。

これらの法規は、日本も遅かれ早かれ追従していくことになり、日本企業もより一層厳密なセキュリティ対策の必要性に迫られていくことが考えられる。

かつて自動車では、シートベルトを締めても締めなくてもどちらでも良い時代があり、そもそも購入時にシートベルトを付けるかどうかを選べる時代もあった。

しかし現代では、シートベルトに求められる要件は厳しく規定されており、自動車にはその要件を満たしたシートベルトがなくてはならない。そして、自動車に乗車する人には、シートベルトの着用が義務付けられている。

「これまでは、セキュリティについて考える必要のない時代だった」というわけではない。ただ単に、**自分が〝サイバー犯罪の被害者〟もしくは〝間接的な加害者〟となっていることに気付いていない空白の時代が続いてきただけである。**

そしてそのことは、サイバー犯罪市場に優秀な人材の参入を促し、ハッキングの技術を発展させることになった。結果、サイバー犯罪を生業(なりわい)とするものに大きな富をもたらす千載一遇のチャンスとなってきた。しかも、悪意を持っているのは人間だけではないかもしれない。人工知能までもがこれをチャンスと判断して行動に移す可能性も大いにある。

被害に遭ってしまうのは、なにもセキュリティへの意識が低い人だけではない。

あなたがセキュリティへの意識を高めていても、あなたと関わりあいのある人や、利用しているサービス、インターネットの機器が、セキュリティに対して弱ければ、そこからいとも簡単にサイバー犯罪は引き起こせてしまう。

バカな味方は敵より怖い。

おわりに
脅威はすぐそこにある

なぜ、これまで安心できていたのだろうか。

サイバー攻撃を実際に受けていたのか、否か、というレベルではない。

現実は、サイバー攻撃を受けたことに気付いたか、気付いていないのか、の違いだけだ。

もしかしたら、これまでは、見えていないものを「ないもの」として扱ってきただけなのかもしれない。本当は、「ある」のに。

身体機能の増幅装置であるテクノロジーがハッキングされるということは、もはや「あなた自身」がハッキングされているということだ。

現代社会では、私たちの身の回りの多くのものがインターネットに接続されている。飛行機や自動車から、冷蔵庫にウォシュレットまで。

そして、私たちの生活には、インターネットがなくてはならないものとなっている。

２０１６年に日本ビジネスメール協会が実施した調査によると、私たちが1日に仕事で受け取るメールは平均55通だ。

シマンテックによると、世界中で行き交うメールの１３１通につき1通には、何らかの脅威が潜んでいるということであるから、私たちは少なくとも「週に2回程度」は悪意のあるメールを受け取っているということになる。

そして、その1通1通は「あなた」を狙うために考え尽くされたものであることもあれば、不特定多数に送りつけた中の1通かもしれない。

しかし、サイバー犯罪を犯す側からすると、1通送ることも１００万通送ることも、コストも時間もたいして変わらない。1分間に数百万件のメールを配信することは可能なのだから、あとは、費用対効果と成功確率の高いほうを選べばよい。

ハッカーは、ハッキングしやすいところを狙う。それが「システム」であることもあれば、「人」であることもある。

システムの場合、まずは「脆弱性」と呼ばれるものを狙う。脆弱性は既に開示されており、それを守るための対策を行っていなければ、容易に侵入することができるからだ。

また、被害者自身が、ご親切にも重要な情報を公開設定にして、不特定多数がアクセスできる状態にしていることもある。

なにより、まだまだサイバーセキュリティに対する意識の低い人たちはたくさんいる。

ハッカーは、被害者を加害者に仕立て上げたりすることで自らを特定されづらくしているし、万が一捕まっても、有罪にすらなりづらい。

サイバー犯罪は、〝現代のゴールドラッシュ〟だとしか思えないのだ。

サイバー空間は、目で見ることも手で触れることもできない。それゆえに、この世界を、これまで遠くに感じていた方もいることだろう。

しかし、現実の脅威はすぐそこに迫っている。いや、既に脅威は訪れている。

シェイクスピアは、次のように述べた。〝Present fears.Are less than horrible

imaginings.” 目の前の恐怖は、想像力の生み出す恐怖ほど恐ろしくはない。そして私は思う。**恐怖から目を逸らすことで、思考を停止させてはならない。**

最後になりましたが、この短期間で圧倒的な量の専門知識を身につけ、ほとんど共著と呼べるほどのご尽力いただきました幻冬舎の袖山満一子さんなしには本書を世に送り出すことはできませんでした。そして、スイスでの偶然の出会いから発展し、多大なる応援をしていただきました幻冬舎の二本柳陵介さんの後押しがなければ、本書そのものが存在することもなかったでしょう。

お二人をはじめ本書執筆にご協力いただいたみなさんに、あらためて心からお礼申し上げます。

二〇一七年七月

足立照嘉

著者略歴

足立照嘉
あだちてるよし

サイバーセキュリティ専門家であり、投資家。
国内外のＩＴ企業の起ち上げから経営まで幅広く参画。
千葉大学大学院在籍中に、ＩＴ系の事業会社を設立して以降、
ニューヨークをはじめ、ロンドンやシンガポールを拠点に、
二〇一七年現在、30カ国以上で事業を展開。
取引先には、Fortune Global 500にランクするような有名企業も多く含まれる。
実地での経験も豊富で、サイバーセキュリティとサイバー攻撃に関して詳しい。

幻冬舎新書 459

サイバー犯罪入門

国もマネーも乗っ取られる衝撃の現実

二〇一七年七月 三十 日 第一刷発行
二〇二〇年六月二十五日 第二刷発行

著者 足立照嘉

発行人 見城 徹
編集人 志儀保博

発行所 株式会社 幻冬舎
〒一五一-〇〇五一 東京都渋谷区千駄ヶ谷四-九-七
電話 〇三-五四一一-六二一一(編集)
〇三-五四一一-六二二二(営業)
振替 〇〇一二〇-八-七六七六四三

ブックデザイン 鈴木成一デザイン室

印刷・製本所 中央精版印刷株式会社

GENTOSHA

Printed in Japan ISBN978-4-344-98460-8 C0295
あ-13-1

幻冬舎ホームページアドレス https://www.gentosha.co.jp/
*この本に関するご意見・ご感想をメールでお寄せいただく場合は、comment@gentosha.co.jp まで。

齋藤和紀
シンギュラリティ・ビジネス
AI時代に勝ち残る企業と人の条件

AIは間もなく人間の知性を超え、二〇四五年、科学技術の進化の速度が無限大になる「シンギュラリティ」が到来――既存技術が瞬時に非収益化し、人も仕事を奪われる時代のビジネスチャンスを読み解く。

岸博幸
ネット帝国主義と日本の敗北
搾取されるカネと文化

ネットで進むアメリカ企業の帝国主義的拡大に、欧州各国では国家の威信をかけた抵抗が始まった。このままでは日本だけが搾取されてしまう。国益の観点から初めてあぶり出された危機的状況！

橘玲
マネーロンダリング入門
国際金融詐欺からテロ資金まで

マネーロンダリングとは、裏金やテロ資金を複数の金融機関を使って隠匿する行為をいう。カシオ詐欺事件、五菱会事件、ライブドア事件などの具体例を挙げ、初心者にマネロンの現場が体験できるように案内。

藤井厳喜
アングラマネー
タックスヘイブンから見た世界経済入門

租税回避地や影の銀行を使った、脱税や裏ビジネスの金をアングラマネーと呼ぶ。いま中央銀行やIMFも制御不能の闇資金の還流が世界経済を揺るがしている。その仕組みと各国最新事情を解説。

幻冬舎新書

渋井哲也
実録・闇サイト事件簿

ネットで出会った男たちが見も知らぬ女性を殺害するという、犯罪小説のような事件を生んだ「闇サイト」とは何か。閉塞した現代社会の合わせ鏡、インターネットの「裏」に深く切り込む実録ルポ。

深沢真太郎
数学的コミュニケーション入門
「なるほど」と言わせる数字・論理・話し方

仕事の成果を上げたいなら数学的に話しなさい！ 定量化、グラフ作成、プレゼンのシナリオづくりなど、「数字」と「論理」を戦略的に使った「数学的コミュニケーション」のノウハウをわかりやすく解説。

泉谷閑示
仕事なんか生きがいにするな
生きる意味を再び考える

「働くことこそ人生」と言われるが、長時間労働ばかり蔓延し幸せになれる人は少ない。新たな生きがいの見つけ方について、古今東西の名著を繙きながら気鋭の精神科医が示した希望の書。

佐々木閑　大栗博司
真理の探究
仏教と宇宙物理学の対話

仏教と宇宙物理学。アプローチこそ違うが、真理を求めて両者が到達したのは、「人生に生きる意味はない」という結論だった！ 当代一流の仏教学者と物理学者が縦横無尽に語り尽くす、この世界の真実。

幻冬舎新書

齋藤孝
イライラしない本
ネガティブ感情の整理法

イラつく理由を書き出す、他人に愚痴る、雑事に没頭する、心を鎮める言葉を持っておくなど、ネガティブ感情の元凶を解き明かしながらそのコントロール方法を提示。感情整理のノウハウ満載の一冊。

イケダハヤト
まだ東京で消耗してるの?
環境を変えるだけで人生はうまくいく

東京を捨て、高知県の限界集落に移住しただけで「生活コストが劇的に下がり」「子育てが容易になり」「年収も上がった」と語る著者。地方出身者も知らない、地方移住の魅力が分かる一冊。

佐藤康光
長考力
1000手先を読む技術

一流棋士はなぜ、長時間にわたって集中力を保ち、深く思考し続けることができるのか。直感力や判断力の源となる「大局観」とは何か。異端の棋士が初めて記す、「深く読む」極意。

出口治明
本物の教養
人生を面白くする

教養とは人生を面白くするツールであり、ビジネス社会を生き抜くための最強の武器である。読書・人との出会い・旅・語学・情報収集・思考法等々、ビジネス界きっての教養人が明かす知的生産の全方法。

幻冬舎新書

岩波明
他人を非難してばかりいる人たち
バッシング・いじめ・ネット私刑(リンチ)

昨今、バッシングが過熱しすぎだ。失言やトラブルで非難を受けた人物には、無関係な人までもが匿名で攻撃。日本人の精神構造が引き起こす異常な現象に、精神科医が警鐘を鳴らす！

中野雅至
日本資本主義の正体

いまや資本主義は、低成長とパイの奪い合い、格差拡大という三つの矛盾を抱え、完全に行き詰った。日本資本主義の特殊性を謎解きし、搾取の構造から抜け出す方法を提示する。

鈴木大介
最貧困女子

「貧困女子」よりさらにひどい地獄の中でもがいている女性たちがいる。「貧困連鎖」から出られず、誰の助けも借りられず、セックスワーク(売春や性風俗業)をするしかない彼女たちの悲痛な叫び！

小谷太郎
理系あるある

「ナンバープレートの4桁が素数だと嬉しい」「花火を見れば炎色反応について語りだす」……。理系の人特有の行動や習性を蒐集し、その背後の科学的論理を解説。理系の人への親しみが増す一冊。

幻冬舎新書

小池龍之介
しない生活
煩悩を静める108のお稽古

メールの返信が遅いだけなのに「自分は嫌われている?」と妄想して不安になる――この妄想こそ仏道の説く「煩悩」です。ただ内省することで煩悩を静める、「しない」生活のお作法教えます。

諸富祥彦
悩みぬく意味

生きることは悩むことだ。悩みから逃げず、きちんと悩める人にだけ濃密な人生はやってくる。苦悩する人々に寄り添い続ける心理カウンセラーが、味わい深く生きるための正しい悩み方を伝授する。

中野信子
脳内麻薬
人間を支配する快楽物質ドーパミンの正体

人間がセックス、ギャンブル、アルコールなどの虜になるのは「ドーパミン」の作用による。だが実はドーパミンは人間の進化そのものに深く関わる物質でもあるのだ。「気持ちよさ」の本質に迫る。

福澤徹三
もうブラック企業しか入れない
会社に殺されないための発想

非正規雇用者が2040万人を超え、さらに加速する格差社会のなかで、ブラック企業の見分け方からトラブルの対処法、これからの時代の働き方まで、さまざまな角度から考える仕事の哲学。